Nós e nossos personagens

CIP-BRASIL. CATALOGAÇÃO NA PUBLICAÇÃO
SINDICATO NACIONAL DOS EDITORES DE LIVROS, RJ

C782n

Contro, Luiz
Nós e nossos personagens : histórias terapêuticas / Luiz Contro. - 1. ed. - São Paulo : Ágora, 2020.
136 p.

Inclui bibliografia
ISBN 978-85-7183-248-0

1. Psicologia. 2. Psicoterapia. 3. Identidade (Psicologia). 4. Comportamento humano - Aspectos sociais. I. Título.

19-61334 CDD: 155.2
CDU: 159.923

Vanessa Mafra Xavier Salgado - Bibliotecária - CRB-7/6644

Nós e nossos personagens

HISTÓRIAS TERAPÊUTICAS

LUIZ CONTRO

NÓS E NOSSOS PERSONAGENS
Histórias terapêuticas

Editora executiva: **Soraia Bini Cury**
Assistente editorial: **Michelle Campos**
Coordenação editorial, projeto gráfico e diagramação: **Crayon Editorial**
Capa: **Alberto Mateus**

Editora Ágora
Departamento editorial
Rua Itapicuru, 613 – 7º andar
05006-000 – São Paulo – SP
Fone: (11) 3872-3322
Fax: (11) 3872-7476
http://www.editoraagora.com.br
e-mail: agora@editoraagora.com.br

Atendimento ao consumidor
Summus Editorial
Fone: (11) 3865-9890

Vendas por atacado
Fone: (11) 3873-8638
Fax: (11) 3872-7476
e-mail: vendas@summus.com.br

Impresso no Brasil

àqueles que me honram
ao me ofertar um lugar
para ouvir e participar
das histórias de sua vida

Sumário

Introdução

ALGUMAS DAS MOTIVAÇÕES E PRETENSÕES PARA COM ESTE LIVRO

O ato de contar histórias não me é novo. De criança, entre muitas brincadeiras, eu me sentava com os amigos e as inventava. Creio ter prendido a atenção deles (alguns mais velhos), pois me pediam que criasse outras com determinados personagens que surgiam. Mais tarde, meus trabalhos como educador infantil e, posteriormente, como psicoterapeuta e coordenador de grupos me ofereceram cenários propícios nos quais pude continuar envolvido e envolvendo por meio de diversos enredos. Novas histórias, outros personagens, que aqui compartilho com você, leitor.

Assim, este livro é mais uma maneira de contar algumas histórias que experimentei, desta vez não fantasiosamente, embora constate que, ao relatá-las, o tempo possa poetificar minhas impressões. Para além dos ossos de meu ofício, como os há em qualquer outro, ele tem a pretensão de provocar no leitor um passeio por seus próprios personagens e enredos. Quais são os personagens que nos habitam?

Outro aspecto significativo presente nas origens destas páginas é o fato de que ressoava em mim havia muito tempo o desejo de atender ao pedido de pessoas que não atuam profissionalmente nesses campos (psicologia, educação e afins) para ter acesso a seus conteúdos. A intenção desse público via-se sempre dificultada pelo fato de ele ser pouco afeito a essa linguagem específica.

Romper o hermetismo da comunicação é uma tentativa de democratizar o conhecimento e compartilhar o simples deleite que tais histórias podem proporcionar.

Mesmo com esse cuidado, algumas referências são importantes e serão ofertadas para que o leitor que pouco ou nada transite por esse território possa andar com mais desenvoltura. Aquele que já o frequenta vai deparar com conceitos transpostos para esse linguajar menos acadêmico e, caso o deseje, encontrará indicações bibliográficas para leituras mais aprofundadas.

Aliás, a necessidade e o prazer do estudo, da pesquisa e do aprimoramento são inerentes a qualquer campo do conhecimento. Às áreas aqui abordadas, de igual modo. No meu caso, priorizei há alguns anos leituras literárias. No sentido amplo do termo, a literatura ultrapassa as demarcações de tempos, espaços, afetos. Coloca-se como experiência de universalidade e, ao mesmo tempo, singularizante, apontando para o fim dos territórios estabelecidos, institucionalizados. Contrapõe-se a discursos de coesões unitárias, reducionistas, de raso entretenimento previamente codificado e facilmente vendido.

Nessa vertente, estou entre aqueles que partilham da ideia de que a boa literatura pode ser rica. Qual literatura? A intempestiva, provocadora, que desacomoda porque questionadora, a que não se contenta em reproduzir ou mimetizar o já dado, mas visa contribuir para a criação do que se diferencia do sabido. Esta pode nos verter personagens e dinâmicas relacionais que muito representam da vida e nos servem de estímulo e espelho para que vejamos a nós mesmos e àqueles que nos pedem ajuda.

Nessa lida, nos últimos anos retomei a obra de Fernando Pessoa (Contro, 2018b). E, por meio de autores que comentam os escritos do poeta português, voltei-me novamente para o filósofo alemão Friedrich Nietzsche (Contro, 2018a) e para as interlocuções que se fazem entre eles (Contro, 2019).

POR QUE NIETZSCHE E PESSOA? A PLURALIDADE E SEUS PERSONAGENS

Nutro admiração pela coragem que tiveram. Sua ousadia extrapolou o conteúdo de seus pensamentos e chegou à radicalidade – no sentido de ir até a raiz – com que viveram a vida, entrelaçada que foi com o que propunham. Abdicaram, entre outras coisas, de uma melhor condição econômica, desobrigando-se de compromissos que pudessem não só impedir, mas competir com a produção de suas obras. Não sem pagar alto preço. Embora estivessem atentos a tudo que acontecia no entorno, valorizaram a solidão, fundamental na construção de seu legado. Sabiam que estavam à frente de seu tempo. Ter essa consciência do que viria a se confirmar décadas depois não é pouco.

Esse reconhecimento, também de minha parte, não implica que eu concorde com tudo que tenham escrito. Mas até nisso são provocativos o bastante para que eu me reposicione encontrando meus divergentes lugares, mesmo que momentâneos.

São autores com profundo investimento nas áreas aqui em evidência. Nietzsche (1844-1900) referia-se a si mesmo literalmente como psicólogo e discorreu sobre psicologia em muitos escritos (Nietzsche, 2015, 2017). Face importante sua, foi (e ainda é) assim reconhecido por muitos autores (Giacoia, 2001). Marcou suas obras com proposições de como os indivíduos enredam-se, submetem-se ou libertam-se, a depender do modo como se relacionam com a mera reprodução ou a criação dos valores. Pessoa (1888-1935) é abraçado como poeta que mergulhou na própria alma, alcançando assim, paradoxalmente, temas universais da existência. Seus escritos, do mesmo modo, muito citaram a psicologia.[1]

---

1. Para consultar os escritos de Fernando Pessoa, utilizei a base de dados on-line Arquivo Pessoa, disponível em <http://arquivopessoa.net/>, que doravante será denominada AP, seguida do número do texto em questão.

Pessoa leu Nietzsche (Ryan, Faustino e Cardiello, 2016), provavelmente o autor filosófico que mais influenciou seu pensamento (Ribeiro, 2011). Na poesia do filósofo e na filosofia do poeta se entrelaçam, entre outras coisas, a importância da pluralidade, do perspectivismo. A complexidade da vida, dos seres e de suas relações vai muito além dos enquadres dicotômicos e rasos. Os preconceitos, a preguiça intelectual, a acomodação simplista, os valores que se pretendem únicos e certos a ecoar vozes de catequização não dão conta da natural diversidade da natureza, do humano.

Esses dois autores, cada um a seu modo, enfronharam-se nesse pluralismo. Inclusive nas variadas formas de sua escrita. Nietzsche serviu-se de dissertações, de aforismos e de uma espécie de romance, em *Assim falava Zaratustra*, sempre se utilizando de imagens e aproximando-se, por isso, da poesia. Pessoa, além da já conhecida poesia, escreveu artigos e manifestos, em muito expressando conteúdos filosóficos.

Mas não só na escrita o pensamento de ambos navega pela múltipla perspectiva. Aos nossos propósitos, interessam os personagens conceituais nietzschianos e os personagens literários de Pessoa, sua heteronímia.

O tema dos personagens nos espaços terapêuticos não é novo. Entre outros, Luis Falivene (1994) já o pesquisou e Carlos Calvente o explorou em *O personagem na psicoterapia* (2002). Aqui, os alinhavos das histórias se darão, sempre que possível, pelas ideias e pelos escritos do poeta e do filósofo. Mesmo que já me utilizasse desse recurso de instrumentalizar a noção de personagem, em psicoterapia e noutros espaços de atuação profissional, ele tem sido potencializado no contato com Nietzsche e Pessoa.

Personagens são formas que delineiam sentimentos, sensações, pensamentos, as mais variadas forças que nos constituem ou que momentaneamente nos atravessam. Tudo pode ser simbolicamente corporificado por meio de um ou mais personagens. Eles aglutinam sentidos que por vezes estão dispersos, desconexos e, por isso mesmo, não são vislumbrados. O simples ato de sugerir a alguém para imaginar um personagem que expresse algo que esteja sentindo ou com o qual se identifique é um estímulo interessante para que exercite sua percepção e possa agregar o que está esvanecido, rumo a uma maior consciência de si mesmo e das dinâmicas nas quais se encontra enredado.

Personagens se transformam. E esse parece um ingrediente fundamental da intersecção entre psicologia e literatura. *Assim falava Zaratustra* pode ser lido como romance de formação, aquele em que o protagonista se modifica no transcorrer da história, deparando com novas perspectivas ou redescobrindo antigas. O mesmo ocorre com Riobaldo em *Grande sertão: veredas*, de João Guimarães Rosa. E com a psicoterapia, em que se trata sempre de um processo. Como verá o leitor, as histórias relatadas aqui são fruto de uma construção que passa por etapas. Por mais que uma sessão seja extremamente significativa e por vezes catártica, no sentido de apropriação de conteúdos antes até mesmo desconhecidos, ela é um instante onde culmina toda uma edificação erigida até ali. Sem os passos anteriores, dificilmente se conformaria.

Quando o personagem está contextualizado nas cercanias do teatro, de onde efetivamente se originou, numa linha de associação natural ele se relaciona com enredo, figurino ou vestes, cenário, palco, que por sua vez só existem em função de uma plateia. Pois esses outros elementos da arte cênica também serão usados como representações sinalizadoras das dinâmicas relacionais, dos fluxos de forças que atravessam indivíduos, seus vínculos e seu entorno. Sobretudo as noções de palco e plateia, como referências de posicionamentos de onde partem ou aonde chegam o discurso, a ação, a imaginação, o desejo, enfim, todos os conteúdos emitidos e recebidos a que denominamos afetos, porque, literalmente, nos afetam.

Também é importante frisar que faço uma distinção entre papel e personagem. O primeiro conceito diz respeito a um contorno configurado na relação do indivíduo com o social. Apresenta, portanto, os denominadores coletivos e os diferenciadores individuais numa interação cuja resultante por vezes é mais duradoura ou momentânea. Meu papel de psicoterapeuta e suas mutações, por exemplo. A noção de personagem se insere no campo da representação simbólica também oriunda da combinação entre as forças sociais e singulares que nos constituem, ora tendendo mais a uma, ora a outra. O personagem é mais volátil e fluido que o papel, pois será desenhado em função dos fluxos mais significativos presentes no instante de sua elaboração. Assim, meu papel de terapeuta, dependendo do que a situação solicita de mim ou me provoca, pode ser atravessado por conteúdos de um personagem mais assertivo, ou mais acolhedor, ou mais investigativo, entre tantos possíveis. Quanto maior o repertório de personagens, mais rico o papel, pois ganhará em flexibilidade diante das diferentes e inusitadas situações com as quais depara um educador, um psicoterapeuta, um coordenador de grupos.

Mas, quando se trata da especificidade desses núcleos e campos de saberes, um desses personagens merece destaque: temos sempre um pesquisador presente.

TERAPEUTA COMO PESQUISADOR: RECURSOS PARA A PARCERIA NA CONSTRUÇÃO DE HISTÓRIAS

Sem desconsiderar que esse personagem pesquisador também atravesse os papéis de educador e coordenador de um grupo, aqui vou priorizar sua inserção no de psicoterapeuta. Quando ele se coloca junto de quem investiga, deve estar atento aos detalhes, observar gestos, momentos em que se desencadeiam reações, emoções, palavras e tons – tudo que possa compor um quadro –, articular elementos e dar sentido a um tema que se esteja esmiuçando. Muitas vezes a pessoa que pede ajuda não tem consciência do que está lhe causando sofrimento. Traz apenas um ou alguns sintomas. Esse explorador ativo então entra em cena com os recursos de que dispõe para uma viagem a dois ou em grupo pelo universo de um ou de mais sujeitos.

Uma de suas contribuições é quando ajuda a pessoa a se conscientizar dos contextos de origem de um sintoma ou de uma emoção. Muitas vezes eles se originam numa dinâmica relacional instaurada e se enraízam em função da reiteração noutras relações. Mapear essas matrizes, fazer essa genealogia ou traçar esses cartogramas não tem o intuito, no meu caso, de chegar às causas e, com isso, como que num passe de mágica, dar por resolvida a questão. Além do que, a expectativa de identificar um único fato como determinante de conflitos que se arrastam vida afora se mostra reducionista. Não dá conta da diversidade que constitui o mundo, como diriam Nietzsche e Pessoa.

Noutra perspectiva, apropriar-se do jogo de forças em que se esteve inserido quando do surgimento dos motivos de um sofrimento faz que a pessoa alargue a noção sobre o que lhe acontece. Assim, ela ganha mais potência na capacidade de escolher novos caminhos, utilizando um filtro mais crítico para selecionar o que deseja manter, transformar ou simplesmente eliminar da experiência que se repete há tempos. Pode, então, desfrutar de maior liberdade em comparação com aquela que tinha quando da vivência dos acontecimentos iniciais responsáveis pela instalação do conflito – seja em função da tenra idade, seja em função de uma consciência ainda não aprimorada, sua capacidade de escolha era menor.

Nessa seara, um modo de acessar essas matrizes é por meio da instrumentalização que fazemos da memória de emoções. Como verá o leitor em diversas histórias aqui contadas, quando a pessoa está de posse de sensação ou emoção que surge e sobre a qual tem pouca ou nenhuma compreensão, pede-se que percorra a trajetória sinalizada que a leve até seus registros de algum fato, lugar ou cena que podem ser originários ou semelhantes ao que está sentindo. Não é incomum que ocorra, inclusive, um encadeamento de lembranças que a remeta a algo primordialmente significativo.

Esse direcionamento para nossa memória afetiva se fundamenta no postulado de Stanislavski (1863-1938), ator, diretor, pedagogo e escritor russo. Trata-se de intervenção mediante a qual se buscam, na memória de sentimentos, fontes de alimentação para que um ator nutra seu personagem em construção (Stanislavski, 1989). Esse método tem se mostrado fecundo quando transposto para situações de pesquisa sobre as matrizes que almejamos conhecer.

Em mais uma contribuição da literatura para o nosso fazer, o literato francês Marcel Proust (1871-1922) também se acercou desse tipo de memória, embora não estivesse preocupado com o estabelecimento de um método para manejá-la. Denominou-a "memória involuntária" em sua obra *Em busca do tempo perdido*, na qual constatou o acontecimento de se rememorar um fato do passado com base em algum elemento desencadeador do presente, tendo nesse fenômeno um dos motes centrais dessa sua principal produção.

Mas esse não é o único realce que nos interessa. Mais até do que isso, vale frisar que o autor empreendeu uma pesquisa sobre o tempo. Em francês, o termo usado por ele no título foi *recherche* (*À la recherche du temps perdu*), que carrega a conotação de "pesquisa", e não "busca", palavra mais genérica usada na tradução para o português. Mas de que tempo nos fala Proust? Podemos dizer que estava interessado em escapar do tempo cronológico, linear, cotidiano. Esse, no seu transcorrer, inevitavelmente nos leva à degradação. A passagem corriqueira do tempo sucessivo é a vivência do tempo perdido, no dizer de Proust.

Mas aqueles que se consideram sempre inacabados, que conseguem se rever e se transformar, pautam-se sob a égide do tempo da intensidade da vida, da criação. O protagonista proustiano vive esse processo, citado aqui em mais um romance de formação.

Nesse sentido, Proust se junta a Nietzsche e Pessoa entre os defensores da arte como veículo para que se viva o registro das intensidades. Mais do que produzir uma obra de arte no cotidiano, é gestar o cotidiano como obra de arte.

Neste momento, minha memória involuntária me faz desengavetar um poema de há tempos que conversa com esse tema:

A intensidade proustiana se dá em função de um tempo simultâneo onde passado e presente se sobrepõem. Seu narrador-protagonista, adulto, mergulha uma *madeleine* numa xícara de chá e isso o remete a uma cena similar na infância, aos domingos na casa da tia. Da casa para a cidade, da cidade para os seus acontecimentos. Memória involuntária que o faz navegar por todos os sete livros que compõem a obra.

O leitor, aqui, terá contato com algumas histórias em que essa pesquisa direcionada às matrizes e a consequente simultaneidade temporal que dela decorre se fazem presentes. Duas delas serão relacionadas com noções propostas por Nietzsche e Pessoa.

É da memória afetiva, no registro das intensidades, que nos municiamos para pesquisar sobre emoções, sensações ou conflitos que necessitamos esclarecer. Tais rememorações acontecem quando estamos no contexto das intervenções descritas nestas páginas – às vezes de forma involuntária, como narrado por Proust, mas muitas outras em consequência de uma propositada direção, como ferramenta de acesso a conteúdos por vezes inconscientes.

Outra via de acesso de que se serve nosso personagem detetive para entrar no universo das pessoas que o procuram são os sonhos, rico material, expressão de nosso inconsciente. Enquanto dormimos, o cérebro continua trabalhando ao buscar formas de representação para os fluxos que o permeiam nas diferentes áreas. Assim, memórias recentes, memórias antigas, emoções que ainda reverberam, preocupações com fatos acontecidos ou por acontecer, desejos reprimidos e tudo mais que nos constitui ganham rostos, lugares, movimentos, configurações simbólicas que os delineiam, por algum tipo de associação, e os expressam. Como no cinema, o cérebro seria o projetor de imagens de tudo que nos transpassa. Na tela, figuras num arranjo inevitavelmente caótico, uma vez que nossa pluralidade é extensa e a linguagem do estado inconsciente em que nos encontramos ao dormir é a do irracional.

Os autores com os quais aqui dialogamos endossariam nossa pesquisa com o material onírico. O filósofo, aos 26 anos, em seu livro de estreia, *O nascimento da tragédia*, lança algumas bases de seu pensamento. Um dos pilares é a constatação de que, com base no pensamento de Sócrates e Platão, cindiu-se o mundo em físico e metafísico. Em decorrência, muitas divisões se estabeleceram. Entre elas, razão e emoção, pensamentos e instintos, mente e corpo.

Apolo e Dionísio foram utilizados como exemplares desses universos. No entanto, há algumas críticas quanto à real polaridade existente entre esses dois deuses (Colli, 2008), uma vez que Apolo, bastante associado à razão por ser o deus greco-romano da lei e da ordem, reinava, ao mesmo tempo, na profecia, na poesia, na música, nas artes em geral. Ou seja, há áreas de intersecção com Dionísio, deus das festas, do vinho, do teatro, dos ritos religiosos e protetor dos que ficam à margem da sociedade, simbolizando o caótico, o imprevisível, os impulsos.

Concordâncias e discordâncias à parte, o que aqui nos interessa é que Nietzsche, ao longo de sua obra, reporta-se ao que perdemos pelo fato de, historicamente, termos valorizado mais a razão, o comedimento, do que os impulsos, o fluxo de forças instintivas do animal humano. Assim, a importância dos sonhos como manifestações dessas potências é inevitável. O filósofo discorreu sobre o inconsciente décadas antes de Freud, embora não tenha sido o criador do termo e da ideia.

Quanto a Pessoa, além do sempre perseguido mergulho em si mesmo que já comentamos, o que por si só já o faria defensor do acesso aos sonhos, advogava por maior consideração para com os instintos e o inconsciente:

> O século dezoito julgava, com a tradição, que o homem é um animal racional. A ciência moderna sabe, e com certeza, que o homem é um animal irracional. A ciência psicológica sabe que, no homem como nos animais, o inconsciente, ou subconsciente, predomina sobre o consciente; que o homem é, na sua essência, uma criatura de instintos e de hábitos, e apenas por acréscimo e superficialidade, um ser "intelectual". (AP, 2908)

Mas nosso investigador também pode promover condições para que se criem cenas e imagens ao se "sonhar acordado". As técnicas e os recursos são muitos. Podemos, por exemplo, fazer as vezes de um diretor de teatro. Nessa função, há que estimular a interação cênica entre os personagens emergentes, por meio da qual pode haver a criação de uma história que traga elementos até então não identificados do conflito que se explora. Com crianças menores, em meu papel de educador, como o leitor verá, a imaginação flui mais solta, facilitando o acesso ao material representativo da subjetividade desses pequenos seres.

Quanto ao recurso da produção de personagens para dar conta de sintomas, dinâmicas relacionais ou sinais de toda ordem que se apresentam, o desafio é sempre checar sua constituição na intenção de rever sua validade. Caso configure sofrimentos ou indícios de algum tipo de desarticulação nos vínculos em que está envolvido, precisamos de transformação, de sair da repetição, mudar de vestes, criar outros personagens que possam ser promotores mais eficientes da potencialização da vida.

Como pode perceber nosso leitor, esse terreno tem imbricações profundas com a arte. Não poderia ser diferente. Desde o tempo das cavernas, o ser humano busca formas de se expressar e se representar no que tem de mais íntimo e, por vezes, desconhecido de si mesmo. Aqui também, fortemente, encontramos Nietzsche e Pessoa. Ambos consideraram a arte instrumento para a constante reinvenção da vida. Sendo complexa, "a vida é amiga da arte" (Caetano Veloso, na canção "Força estranha"), pois a arte é capaz de expressar e renovar as multifaces que a vida tem. Talvez de recriá-la, ao provocar ângulos inusitados, estimulando a vontade de potência, promovendo encontros, causando epifanias reveladoras, instantes de êxtase dionisíacos, checando pretensas verdades, rompendo prisões, alardeando opressões, estimulando reflexões críticas para além das tentativas de se instalar o repetitivo que adoece. Por isso mesmo, a finalidade estética da vida é que vai constituir o ideal da filosofia nietzschiana, tanto quanto vai dar sentido à obra literária de Pessoa.

Enfim, os recursos de que dispomos para essa empreita de pesquisar junto com quem nos solicita são diversos. Cada profissional lança mão daqueles com os quais mais se identifica, muitas vezes em função de estar convencido por determinados pressupostos teóricos e técnicos. Mas, permeando esses instrumentos, é incontornável que haja cumplicidade entre os viajantes e que, mais adiante, ela possa se configurar como confiança. Os momentos de encontro autêntico, de pesquisa cuidadosa e profunda, requerem parceria sincera, ética, honesta, sem a qual os sofrimentos não são compartilhados, as descobertas não frutificam.

Continuarei a discorrer, junto com os enredos aqui enunciados, sobre os pressupostos para que as histórias pudessem se desenrolar. Por meio desses relatos práticos, creio que será possível perceber a influência dos autores escolhidos para iluminar os labirintos que tenho pesquisado. Em consequência, torço para que todo esse processo tenha se revertido em narrativas interessantes para o leitor.

Histórias terapêuticas, e não necessariamente psicoterapêuticas. Essa distinção se refere ao fato de que, apesar de algumas se darem num processo de psicoterapia, outras, como já antecipado, tiveram lugar numa escola infantil, na seara da educação, e uma delas em minha vida pessoal. Essas últimas foram terapêuticas porque provocaram mudanças, a meu ver, dignas de nota. Assim, como a noção de transformação é seu denominador comum, fiquemos com o termo "terapêuticas" para representá-las todas. "Transformações terapêuticas" porque algumas intervenções levam a momentos de alegria espontânea, de novas pulsações, revitalização, instantes de real encontro entre as pessoas, distantes da alegria forjada fruto da ditadura da felicidade que insistem em nos impor nestes nossos tempos. "Transformações terapêuticas" porque muitas vezes nossos procedimentos revelam tensões entre forças opostas que não podem mais ser negadas nem desmerecidas e que apenas se enfrentadas podem ampliar nossa capacidade de escolher novamente, noutros moldes, noutros parâmetros, em função dessa reavaliação sempre necessária. Afinal, "tudo que não me mata me fortalece", segundo Nietzsche.

Esses atos e processos terapêuticos resultam praticamente em contos. Histórias das quais participo, criando em conjunto, no papel de terapeuta, educador ou coordenador de grupos e com muitos dos meus personagens a constituir esses papéis. Personagens despertados, estimulados, rememorados à medida que interajo com quem trabalho. Outros, quando não são inicialmente meus, adotados por mim, pelo fato de as pessoas os compartilharem comigo.

Daqui por diante, quem poderá avaliar se essas intenções se realizarão a contento será o leitor. Confesso que a atenção para não divagar mais que o necessário pelas reflexões teóricas suscitadas foi grande. Por vezes, senti-me como se tivesse colocado em mim mesmo um cabresto para não desviar da rota. Por outro lado, ganhou em liberdade o contador de histórias, o que foi prazeroso.

Como de praxe, houve o devido cuidado de alterar os nomes reais dos envolvidos, de não oferecer um contorno muito nítido dos cenários onde as histórias se deram, visando preservar a identidade daqueles que, porventura, poderiam se sentir expostos. Além disso, foram consultados para consentimento os autores cujas histórias são recentes e que, por isso mesmo, com tais enredos ainda a reverberar em si e nas pessoas de seu entorno, poderiam discordar desse compartilhamento. Mesmo assim, vale o pressuposto de que qualquer semelhança com fatos ou pessoas de nossa vida cotidiana não será mera coincidência, pois todas as cenas poderiam ter acontecido, se já não aconteceram ou ainda acontecerão com qualquer um de nós.

Boas viagens.

1. O Lobo Mau e os nossos medos

Era uma vez um estudante de segundo ou terceiro ano de Psicologia, no papel de professor de uma turma de mais ou menos 16 alunos com idade entre 3 e 5 anos. O cenário é ao ar livre, na chácara onde funcionava aquela escola.

Certo dia, a mãe de um dos alunos presenteou o grupo com uma expressiva fantasia de Lobo Mau. Negra, com as orelhas, o contorno dos olhos e a boca em vermelho.

Um misto de alegria, ansiedade e relativo medo tomou conta daquelas crianças, de uma faixa etária em que misturam mais facilmente fantasia com realidade. Alquimia essa que aos olhos de um adulto parece ser, mais que compreensível, encantadora.

Essas emoções, somadas à possibilidade de as crianças vestirem a fantasia, como de fato podiam, faziam que dessem pulos movidos pela extrema curiosidade e pelas expectativas despertadas, pelo desejo de experimentar ser o Lobo Mau ou de caçá-lo.

O tal professor, desafiado a transformar tanta energia e interesse numa atividade que fosse ao encontro dos objetivos pedagógicos propostos, perguntou a elas de que forma resolveriam o dilema a ser enfrentado: como fazer para garantir que todos os que desejassem incorporar o Lobo Mau pudessem fazê-lo?

Alguns minutos transcorreram – o que ao coração afoito dos pimpolhos pareceu séculos – até que, em meio a sugestões por vezes tendenciosas, outras impraticáveis, elaboraram um jogo no qual era possível haver revezamento dos atores naquele personagem: ficariam todos, o professor inclusive, dentro de uma casinha de alvenaria (construída para o tamanho deles num canto da chácara), com a porta fechada. Um deles, o Lobo Mau, bateria do lado de fora pedindo para entrar. Quando abríssemos a porta e deparássemos com aquele monstro, sairíamos todos correndo – observem – atrás do Lobo e o mataríamos a tiros. Encontraram um jeito de, por meio do jogo e coletivamente, somando forças, ser mais potentes que o medo despertado pela imaginação de um Lobo Mau "de verdade". De quebra, o grupo havia construído as próprias regras para, no caso, dar conta da bagunça instaurada pelo forte desejo de todos de vestir a fantasia ao mesmo tempo, pois a cada vez que o Lobo da vez "morria" era substituído por outra criança.

Numa linguagem nietzschiana, esse acontecimento de o grupo elaborar formas de lidar com as diferentes forças que o atravessavam naquele momento com certeza foi um exercício de socialização. Trata-se de uma referência que pode deixar marcas numa memória que será por toda a vida requisitada como fonte para resolução de conflitos relacionais.

Além disso, ao gestar uma saída singular, esse grupo está se preservando de contaminações moralistas que muitas vezes os contos de fada, como genericamente essa literatura infantil é denominada, refletem e repassam (Chaui, 1984). Esperar por um príncipe ou princesa encantados e idealizados, por exemplo. No caso em questão, a fábula do Lobo Mau e da Chapeuzinho Vermelho, está presente a mensagem de que não se deve nunca sair do caminho traçado, sob pena de ser atacado por um monstro maléfico. Assim, ao não se limitar à reprodução pura e simples do que é transmitido, a liberdade para a criatividade gera mais liberdade.

Consenso momentaneamente estabelecido, observar aquelas carinhas assustadas, excitadas e ao mesmo tempo sedentas pelas batidas na porta e pela presença do Lobo que viria marcou minha memória. E, para não dizer que de modo indescritível, habita no inesquecível a luminosidade da manhã que penetrava pela janela do esconderijo, mas que por si só não respondia pelo brilho naquelas faces.

Para que se possa experimentar entrar em contato com sentimentos como o medo por meio de um jogo com história e personagens, a dose de segurança que se oferece a um pequeno, às vezes condicionada por ele mesmo, é a salvaguarda de um final sempre feliz: "Pagamos o preço, mas queremos garantia". O desfecho dado por eles contemplava plenamente esse quesito por meio do personagem Caçador. Assim, um jogo como esse proporciona uma sensação de frio na barriga parecida com a de escorregar, depois de medidos todos os riscos e tomados todos os cuidados, por uma grande pedra lisa e cair no lago refrescante.

Outra peculiaridade que muitas vezes escapa à compreensão dos adultos é que a repetição é necessária. Mais que repetir, reproduzir sem qualquer alteração. Trata-se de jogos e histórias que suspendem momentaneamente as mudanças inerentes ao cotidiano da criança, por mais rotineiro que este nos possa parecer. Aos olhos de quem vê o mundo pelas primeiras vezes, tudo é uma intensa novidade. Assim, o mundo lhe solicita constantes adaptações: aparecimentos e desaparecimentos de pessoas próximas e distantes, sentimentos de amor e ódio por uma mesma pessoa, entre outras tantas. Na vida "real", tais acontecimentos não passam pelas determinações do infante. Esses hiatos lúdicos, no entanto, com a previsibilidade da constância, ao seu alcance e estipulada pela negociação das regras que o jogo permite, possibilitam experimentar com estabilidade.

Dessa forma, repetimos o jogo infinitas vezes, durante vários dias, por todo um semestre. Não que fosse nossa única atividade desenvolvida, mas era ansiosamente esperada. Na segunda ou terceira vez, porém, enquanto corriam atrás do Lobo para apagá-lo a disparos, algo me chamou a atenção.

Antes de dizer o que foi, observo que uma função pertinente ao papel de professor dessa faixa etária é a de manter atualizada a contagem do número de seus "comandados". Vez por outra, algum ou alguns deles se descolam do coletivo e lançam voos individuais que, não sem tanta frequência, acabam em choradeira.

Pois bem, missão cumprida e me dou pela falta de um deles. Olho em volta num giro de 360 graus e nada. Pergunto a alguns integrantes do grupo, mas eles estão demasiadamente entretidos para prestar atenção em qualquer outra coisa. Resolvo gritar por seu nome e escuto certo grunhido que vem de dentro de nossa casinha. Lá, encolhido num canto e tremendo de medo, está Pedro com os olhos assustados. O temor havia superado sua possibilidade de, mesmo que coletivamente, enfrentar o Lobo.

Movido pela ingenuidade e desconhecimento de aprendiz, tento mostrar-lhe que aquele monstro não é "de verdade". Trata-se de uma de suas coleguinhas vestindo a fantasia. Em vão. Sua vivência entre a fantasia e a realidade é mais visceral que as palavras do mestre. Aquele "É" o Lobo Mau e o apavora.

Permitindo-me ser atravessado por recentes informações adquiridas ou talvez num lampejo de bom senso temperado de um mínimo de sensibilidade, ofereço-lhe a mão e a proposta de nos colocarmos na soleira da porta para observarmos, de longe, nosso algoz e seus caçadores. O receio da mão titubeante misturado ao fio da cumplicidade que agora surge em seu olhar revelam novos movimentos da sua necessidade de sair daquele pavor. Ele aceita.

Aliviados, sentamos e passo a torcer pelo sucesso da caçada, no que sou seguido por ele, a princípio timidamente e depois com contida euforia. Nosso pacto e parceria para enfrentar o medo estavam feitos.

Graças à necessidade de repetição deles, pudemos, no decorrer do semestre, dia após dia, nos aproximar mais do grupo enquanto caçavam. Então, Pedro conseguiu dar um ainda incerto primeiro sorriso, ao ver como o Lobo se tornava frágil diante das muitas mãos, gritos e tiros poderosos daqueles ferozes perseguidores.

Dias depois, mesmo ficando entre os últimos, começou a, literalmente, correr atrás de quem ainda lhe assustava. Já não precisava de minha mão ou de minha presença muito próxima. Minha função de apoio estava perto do fim.

Semanas depois, Pedro estava à frente do grupo e matava com tal fúria seu monstro que chegava a ser engraçado para alguns de seus amigos. Em nosso silencioso companheirismo, ele e eu sabíamos da importância daquela catarse.

Final do semestre, últimas semanas. Pedro lançou-se ao último desafio que o jogo podia lhe propor. Sem o medo maior que o paralisava, já podia se colocar no lugar do outro, vestir sua pele. Não havia forma mais intensa de explorar o desconhecido, o inusitado, o ameaçador e tudo mais que o personagem lhe representava.

Esse jogo baseado em uma história pode ser tomado como ritual onde a constante encenação é um modo de se apoderar do que se teme. Pedro e os outros se apossaram do Lobo. Dominaram-no instintivamente, dionisiacamente. Tal qual as danças dos agrupamentos ancestrais que talvez até hoje subsistam em determinadas tribos, nossos pequenos seres instituíram uma coreografia para elaborar, apropriar-se do que os alarmava, do que era estrangeiro e estranho a eles e que se tornou parte, foi interiorizado e passou a ser conhecido. Nessa antropofagia, eles agora podiam entrar e sair do personagem quando desejassem, por sua própria conta.

Além de digerirem um medo representativo de todas as apreensões com o desconhecido que se tem na infância, processos como esse são capazes de servir como pavimentação de um trajeto que pode ser trilhado novas vezes no futuro em busca de outros enfrentamentos promotores de maior liberdade. Parece-me profundamente terapêutico.

2. Espada de matar dragões

Quando não é possível introjetar o outro que se teme, que ao menos haja alguma arma para combatê-lo. Essa alternativa pode justificar a existência e o significado dos antigos amuletos, de objetos e crenças com potência simbólica que nos resguardaram, protegeram e confortaram nos tempos primórdios, embora se façam ainda presentes em diferentes lugares até muito próximos de nós, quando não dentro, de diversas maneiras. Na infância da humanidade, digamos assim, buscavam-se explicações e soluções para fenômenos ainda não conhecidos que hoje chamaríamos de mágicas e fantasiosas.

Na infância dos pequenos isso se reproduz. O mundo por decifrar precisa ser decodificado. Além disso, é preciso se instrumentalizar para nele sobreviver. Entretanto, em vez de considerar que suas respostas aos dilemas são apenas ingênuas, há que reconhecer que estão à altura de seu desenvolvimento. E, mais que fazer isso somente por respeito, perderemos muito se não estivermos abertos para a pura beleza que exala das alternativas que encontram.

O singelo e precioso achado que será descrito a seguir encontra ressonâncias no poema VII de *O guardador de rebanhos*, do heterônimo pessoano Alberto Caeiro, aquele que mais se aproxima da alma infantil no seu melhor sentido – ou seja, quando, paradoxalmente, prenhe de reflexões e sensações possibilitadas pelo constante olhar da primeira vez:

Da minha aldeia vejo quanto da terra se pode ver do Universo
Por isso a minha aldeia é tão grande como outra terra qualquer,
Porque eu sou do tamanho do que vejo
E não do tamanho da minha altura...

Nas cidades a vida é mais pequena
Que aqui na minha casa no cimo deste outeiro.
Na cidade as grandes casas fecham a vista à chave,
Escondem o horizonte, empurram o nosso olhar para longe de todo o céu,
Tornam-nos pequenos porque nos tiram o que os nossos olhos nos podem dar,
E tornam-nos pobres porque a nossa única riqueza é ver. (AP, 1486)

Dentre as simplicidades complexas, e consequentemente dúbias, dos significados que poderíamos eleger, Caeiro sinaliza que é a condição de enxergar ao longe, na amplitude das coisas e do mundo ("Da minha aldeia vejo quanto da terra se pode ver do Universo", "Nas cidades a vida é mais pequena", "Tornam-nos pequenos"), que vai dimensionar a estatura de uma pessoa, e não a sua altura física.

Ao mesmo tempo, "Da minha aldeia vejo quanto da terra se pode ver do Universo" também transmite que "o que vejo da minha aldeia" é não apenas suficiente mas o mais relevante, pois denota a intensidade dos significados de uma vida interior ("Por isso a minha aldeia é tão grande como outra terra qualquer") que dará, igualmente, a mais fidedigna medida do que se é.

Pois as crianças enxergam a complexidade da vida da altura dos seus anos, com a simplicidade que está longe de não ser intensa.

Vamos à história.

Noutra feita, no mesmo cenário anterior, mas com turma diferente, de mesma faixa etária, por algum estímulo qualquer emergiu como protagonista o personagem de um dragão. Enquanto escola, compreendíamos tais acontecimentos como o despertar de um centro revelador de interesse e o aproveitávamos para desenvolver atividades nas diferentes áreas. Assim, desenhamos dragões, contamos histórias sobre eles, buscamos saber o que comiam, caçamos dragões. A pedido das próprias crianças, tornaram-se "A turma do dragão". Era um elemento forte que lhes dava uma identidade.

Ao mesmo tempo, como na história anterior, outro tipo de monstro se fez presente perante a necessidade de um personagem que catalisasse e corporificasse elementos hostis do mundo ainda recente que aqueles pequenos olhos vislumbravam. Dessa forma, poderiam expressar suas muitas emoções e questionamentos, bem como testar seus limites e forças ao enfrentá-lo.

Para perseguir aquela criatura, encontrá-la e lutar contra ela, era preciso uma arma. E arma que se preze para enfrentar dragões é a espada. Ficamos envolvidos durante horas com jornais, cola e palitos de sorvete a confeccionar o que poderia existir de mais poderoso e imbatível. Embora pouco tempo restasse naquele dia para uma verdadeira empreitada pelas florestas e montanhas, ao finalizarmos nossos artefatos fizemos uma breve expedição identificando os lugares onde exploraríamos no dia posterior. A pedidos, levaram as espadas para casa.

Na manhã seguinte estavam todos a postos, em guarda. Durante nossa busca, muitos foram os sinais deixados pela fera, seus sons ao longe, os cheiros que exalava em sua passagem. Tudo indicava que estava por perto, mas fugidia, pois naquele dia ainda não a encontramos. Quer dizer, digamos que eles ainda não estavam prontos para deparar com ela. Enfim, algumas semanas se passaram até que um dragão de pano, também atendendo a solicitações, fosse devidamente costurado para que, à moda da malhação de Judas, pudessem destroçá-lo.

Muitas outras caçadas houve. Afinal, feliz ou infelizmente, não existe apenas um dragão nem um significado único que possa ser atribuído a eles. Desse modo, muitos foram capturados e eliminados, com maior ou menor dificuldade. Alguns eram até mesmo tão banais que num simples mover da espada já se desfaziam.

Os assustadores quase sempre necessitavam que boa parte do grupo estivesse presente, quando não todo ele.

Alguns meses após o início de nossa aventura, numa reunião periódica com os pais da turma, tive agradável constatação: nosso Alberto, que não dormia de luz acesa, que muitas noites, atormentado por pesadelos, pedira proteção no quarto dos pais, agora nanava bem mais tranquilo, com sua espada a postos a seu lado.

Assim como o de Alberto, o dragão que ameaça periodicamente minha plena satisfação estava por ora silenciado.

3. Gravidez transferida

AINDA NA MESMA ESCOLA, na sala de aula. O jogo da vez, criado por eles, era o "Hospital". Os pacientes se deitavam nas mesas e eram operados ou recebiam curativos dos médicos. Mercúrio diluído em água era o remédio que dava conta de todas as chagas, infecções, cortes, transplantes...

No meio de uma manhã, os pais de Mariana apareceram e pediram alguns instantes de prosa comigo. Perguntaram se havia acontecido algo fora do comum com ela na escola. Tinha diminuído o interesse em ir à aula, dizendo, por vezes, que não mais queria. Isso os deixava intrigados, pois até então desejara intensamente estar ali.

Também fiquei entre um tanto cismado e curioso. Afinal, Mariana continuava participando com envolvimento. Invertendo a mão da rota que buscava referências, perguntei a eles se em casa havia acontecido algo que não fosse da rotina. Foi quando a mãe, percebendo um fato com o qual até então não atinara, revelou estar grávida. Desde o primeiro momento Mariana soubera e, na percepção deles, estava lidando bem com a novidade, inclusive fazendo planos para o bebê.

Ficamos com a hipótese de que a mudança em sua atitude para com a escola tivesse algo que ver com isso. Mariana era filha única, e a vida lhe colocava um forte elemento para deparar com a descoberta, a princípio nada agradável, mas extremamente necessária porque mais realista, de que não era o centro do universo. Agora, nem mesmo do universo de sua mãe. Por ser uma possibilidade de leitura do que estava ocorrendo, mereceria, deles e de mim, uma observação mais atenta aos futuros acontecimentos. Voltaríamos a trocar informações.

Talvez a visita dos pais à escola tenha suscitado em Mariana alguma articulação interna entre elementos que estavam ainda dissociados. E, sem dúvida, o jogo que desenvolvíamos contribuiu não apenas para facilitar suas conexões mas como veículo de expressão dessa integração e catarse. O fato é que retomamos o jogo imediatamente após aquele casal passar pela janela da sala e se despedir de todos acenando, e Mariana pediu que eu me deitasse e fosse o seu paciente. Depois de algumas análises, exames, discursos prognósticos e intervenções variadas, Mariana descobriu que eu estava grávido.

Gargalhou muito. Chamou todos para verem aquele acontecimento que parecia transitar entre o inusitado, o ridículo, o engraçado e o necessário, porque representativo de seu tema protagônico. Por isso tudo, rapidamente não faltava ninguém no entorno da mesa a observar o grávido e sua médica, que não aceitava nenhuma interferência, a examinar e preparar toda a parafernália para o grande acontecimento do nascimento.

Não bastou que fosse um único rebento. Eles saíam em série, interminavelmente, aos gritos de "olha o nenê do Luiz, olha o nenê do Luiz!", sempre acompanhados de risadas.

Não repetimos a brincadeira nos dias seguintes.

Em novo contato, os pais descreveram cenas em que Mariana passara a expressar seus incômodos, sua raiva e novos questionamentos em relação ao irmão. Quanto à escola, resgatou sua boa vontade.

Parece que, não suportando se dar conta dos sentimentos caracterizados como negativos em relação à mãe, transferira para a escola suas queixas, preservando-se e aos pais de, até então, expressar ansiedade, medo e insegurança ante uma situação nova que lhe provocava, quem sabe, temores irreais de abandono ou desamor, o que não é incomum.

Por meio do contexto apropriado, o jogo facilitou a expressão dessas fantasias. Ofereceu-lhe um lugar onde pôde entrar em contato, de forma lúdica, com seu desejo de arrancar aquele intruso. Isso deve ter contribuído para que, mais tarde, manifestasse seus anseios no espaço mais apropriado à participação dos diretamente envolvidos, ou seja, com seus pais.

As portas do caminho para uma melhor elaboração da chegada do novo membro familiar estavam abertas. O personagem médico minimizara as dores do parto.

4. Espelho, espelho meu...

Tal qual ao responder às perguntas na fábula de Branca de Neve, o espelho, esse personagem com quem nos relacionamos, sempre fez questão de nos retornar com franqueza. Seja pelas marcas do tempo na pele, seja pelos gestos e olhares ensaiados que nos faz ver. Por isso mesmo, diante dele colocam-se a bailarina, para aprimorar seus movimentos, a criança, encantada com a própria mobilidade, o cabelereiro, ao acompanhar o estado de sua arte, entre outros tantos. Tantos, que seus reflexos sempre foram dignos de reflexão do observador mais atento.

Mas, como o conto de fadas demonstra, muitas vezes buscamos apenas uma confirmação do que desejamos ser: "Existe alguém mais belo do que eu?" Assim, para além da imagem mais fidedigna de nós mesmos, podemos ludibriá-lo com máscaras, maquiagens e outros truques, em típico autoengano. Por esse ângulo, tornamo-lo personagem sob nosso jugo, e não reprodução fiel de nossa imagem e semelhança, pois ele sempre espelhará o que o deixarmos ver.

Vai daí que os espectros pelos quais podemos nos relacionar com o espelho se propagam em múltiplos. E se oferecem ao campo da arte, habitado pela fluidez do imaginário, terreno propício às representações que pedem o mirar por muitas vertentes. Não à toa, muitos artistas se utilizaram desse recurso. Velásquez, no quadro "As meninas", Guimarães Rosa, no conto "O espelho", Borges, em diversos poemas e contos. A lista é extensa, e o espelho ora aparece como objeto, ora como metáfora, ora como uma combinação de ambos.

Vejamos alguns escritos de Pessoa, que nos baliza nessa seara, para abordar por suas palavras o que poderíamos denominar "o espelho e seus reflexos", em uma amostra de como o poeta dispõe seus termos de diferenciados modos em função dos distintos autores que foi, seus heterônimos (os autores que criou e que escreviam por uma perspectiva não semelhante à dele, com estilo próprio) e seus semi-heterônimos (autores que também escolhiam outras ópticas, mas grafavam no mesmo feitio de Pessoa).

Sigamos primeiro com ele mesmo, Fernando Pessoa, quando o espelho vai servir-lhe para expressar suas memórias e um tanto de seu autocompadecimento:

> Quando eu era menino beijava-me nos espelhos: era um sinal antecipado de que nunca haveria de amar. Tinha por mim, em adivinha de negação, a ternura que me nunca haveria de ser dada. (AP, 4166)

Como Bernardo Soares, o espelho a instrumentalizar o mergulho em sonhos e desejos que o caracterizou por toda a vida:

> Gostava de ver a minha face reflectida porque podia sonhar que era a face de outra criatura - porque era de formas femininas, que era de minha amada que era a minha face reflectida... Quantas vezes a minha boca tocou na minha boca nesse espelho!... Quantas vezes apertei uma das mãos com a outra, quantas adorei meus cabelos com a minha mão alheada para que parecesse dela ao tocar-me. (AP, 4495)

Como Alberto Caeiro, cortante, defendendo a inexistência do metafísico:

> O espelho reflecte certo; não erra porque não pensa.
> Pensar é essencialmente errar.
> Errar é essencialmente estar cego e surdo. (AP, 344)

Como Álvaro de Campos, o espelho servindo-lhe para suas reflexões e num movimento singular de entrar e sair de si mesmo:

> Depus a máscara e vi-me ao espelho.
> Era a criança de há quantos anos.
> Não tinha mudado nada...
> É essa a vantagem de saber tirar a máscara.
> É-se sempre a criança,
> O passado que foi
> A criança.
> Depus a máscara e tornei a pô-la.
> Assim é melhor,
> Assim sou a máscara.
> E volto à personalidade como a um terminus de linha. (AP, 263)

O espelho usado como alegoria, na racional e límpida lucidez do Barão de Teive, ao nos colocarmos enquanto espelhos das circunstâncias:

> Quantas coisas, que temos por certas ou justas, não são mais que os vestígios dos nossos sonhos, o sonambulismo da nossa incompreensão! Sabe acaso alguém o que é certo ou justo? Quantas coisas, que temos por belas, não são mais que o uso da época, a ficção do lugar e da hora! Quantas coisas, que temos por nossas, não são mais que aquilo de que somos perfeitos espelhos, ou invólucros transparentes, alheios no sangue à raça da sua natureza! (AP, 191)

No conto "O espelho", de Guimarães Rosa (2001), o protagonista relata seu processo de autorreconhecimento à medida que interage com o espelho. Nessa trajetória, conclui que sua imagem de criança é a mais original. Dialoga, portanto, com o poema de Álvaro de Campos, inclusive por sugerir o que Campos explicita: as máscaras ocultam nosso ser mais genuíno, metaforicamente representado pela criança.

Por outro lado, o conto e o poema conversam com a prosa do semi-heterônimo Barão de Teive, uma vez que, como "invólucros transparentes alheios no sangue à raça da sua natureza", podemos reconhecer que somos máscaras e, ao mesmo tempo, espelhos que apenas refletem normas e valores de uma época, distantes do que nos seria mais natural.

Abrindo a roda dos que comungam semelhanças, a esses autores junta-se Nietzsche. Atento às forças que permeiam a cultura, impondo valorações, e advogando ser necessário crítica para que não nos tornemos apenas rebanho, criou, em *Assim falava Zaratustra* (Nietzsche, 2014, p. 31-3), alguns de seus personagens conceituais, demonstrando entendimento semelhante a Rosa, Campos e Teve. Seu animal de rebanho está representado pelo Camelo, aquele que apenas carrega valores alheios. Nos termos de Campos e Rosa, veste máscaras que a vida impõe sem se dar conta. Mas, suspeitando do valor dos valores, seu lado Leão é capaz de enfrentar o que tenta determiná-lo. Em consequência, pode renascer a criança, a única capaz de viver o *amor fati*, amor intenso pela vida como ela é, livre de imposições que nos subjugam.

E já que a conversa está boa, caro leitor, acrescentarei outra história. Ela se localiza entre os campos da psicologia e da educação, primas-irmãs da arte e da filosofia.

Dentre os muitos recursos para explorar vínculos relacionais a fim de pesquisar conflitos, o espelho se configura como técnica interessante e potente. O relato a seguir demonstra isso, mas agregando outra particularidade. Quando vivenciamos alguma atividade e nos aprofundamos nela, é inevitável desenvolvermos e incorporarmos algum tipo de abordagem ou forma de ver as coisas que lhe são inerentes. Uma vez absorvida essa visão peculiar, podemos reproduzi-la noutros contextos, deliberadamente ou não. Com o papel de terapeuta não é diferente. Os cuidados para que essa transposição não seja feita de modo inadequado são imprescindíveis. Como exemplo, colegas meus do futebol algumas vezes me questionam se esse esporte não é um território onde o jogador se revela no seu "real jeito de ser", como quando algum participante toma uma atitude mais destemperada. Minha saída pela tangente tem sido brincar dizendo que exerço minha função apenas "com hora marcada e honorários".

No entanto, além de não ser possível negarmos a nós mesmos determinadas inevitáveis leituras do ambiente, em função da vista acurada pelos ângulos que nos são próprios, algumas vezes esses entendimentos são úteis mesmo quando fora das paredes de um consultório. Foi o que se deu no caso a seguir.

Bruno, meu filho/enteado, estava na faixa dos 4 ou 5 anos de idade. Morava conosco e ficava com seu outro pai nos finais de semana. Certa feita, entrávamos na garagem do apartamento, depois de buscá-lo de um período de férias com o pai, quando ele, ainda no carro, incorporando o que seria minha voz ou de sua mãe, começou a repetir certa ladainha: "Bruno, tá na hora de escovar os dentes; Bruno, tá na hora de ir pra escola; Bruno, chega de televisão; Bruno, tá na hora de dormir..." Caí na gargalhada com as expressões tão espontâneas a revelar seu inconformismo com o final das férias e o começo de um cotidiano inevitavelmente regrado.

Em paralelo à diversão que me proporcionava, suscitou ao meu olhar de terapeuta certa dose de curiosidade sobre a quantidade e qualidade de outras possíveis denúncias que ele tinha a fazer. Assim, enquanto saíamos da garagem e subíamos a escada, eu sugeria, entre risos, outras ordens que imaginava poderem compor a mesma lista. Algumas ele identificava e incorporava, gostando da graça que provocava. Outras simplesmente descartava.

Entramos em seu quarto. Deito em sua cama e começo a refletir sua própria imagem, me queixando e esperneando como se fosse ele: "Não quero tomar banho agora, quero jogar futebol; deixa eu assistir mais um pouco de desenho...; tem que escovar os dentes toda hora!?..." Com os olhos arregalados pela surpresa causada, ele comenta: "Ei! Mas esse aí sou eu!" Bruno, não precisando mais dessa brincadeira, partiu para outra. Fiquei atento aos possíveis excessos de ordens futuras.

Essa nossa história deve ter durado uns poucos 20 minutos. Mas foi suficientemente significativa para provocar algumas construções terapêuticas individuais e no nosso vínculo.

Retomando a cena da garagem, ali Bruno se colocou no lugar dos adultos que dele cuidam. Tomou o papel de seus "algozes", como que se preparando para o que viria, tal qual vimos Pedro, em capítulo anterior, quando incorporou o Lobo Mau para elaborar suas tensões. Uma vez dentro, nosso protagonista da vez constrói um monólogo representativo de seu drama, fazendo um espelho que o coloca como plateia de si mesmo, uma vez que sua indignação como Bruno, pela fala que ele reproduz dos adultos, é o que ocupa o centro do palco nesse momento. Replica a do personagem nietzschiano Leão, brigando para não vestir as máscaras, mesmo diante das inevitáveis institucionalizações inerentes à convivência quotidiana.

Concomitantemente, seu solilóquio feito ao imitar os adultos me colocou na condição de espectador e, como tal, pude eu mesmo me ver no espelho. Meu riso, portanto, foi um misto alternado de surpresa causada ao me ver revelado por uma perspectiva da qual não tinha me dado conta e por estar sendo arrebatado pelo lúdico de sua espontaneidade pulsante.

Já no seu quarto, não pude perder a oportunidade de continuar o jogo, uma vez que tinha a consciência dele, pelo papel de terapeuta. O espelho se inverteu e Bruno se reconheceu. O vislumbre de sua participação em nossas cenas do dia a dia foi importante.

Podemos pensar num paradoxo que se apresenta entre o conto de Guimarães Rosa, o poema de Álvaro de Campos e a prosa do Barão de Teive, quando denotam o espelho que reflete a criança que foi mascarada pelo social, de um lado, e Bruno, a criança de minha história prestes a se mascarar pelas regras que tentam sinalizar uma convivência diária, de outro.

Uma contradição, a meu ver, irremediável. Não tão evidente assim, pois nos escritos desses autores a criança aparece como metáfora, representando o sentido do que temos de mais autêntico, sendo que, na minha história com Bruno, ele estava em seu processo de aprendizagem e desenvolvimento da convivência e do cuidado de si próprio. De qualquer maneira, essa tensão entre Dionísio e Apolo, entre o individual e o coletivo, entre o público e o privado é constituinte do nosso viver.

Diante disso, me parece que fortalecer os leões da liberdade crítica é alternativa interessante para que, seja por desenvolvimento, seja por autoconhecimento, nos relacionemos com nossos espelhos sem tantos disfarces. E que o que se revele sejam sempre imagens a refletir aberturas para novos começos.

5. Nossos nós

A DENOMINAÇÃO "PACIENTE" É muitas vezes usada em função de ser habitual nas instituições de saúde. Alguns psicoterapeutas utilizam o termo "cliente". Este último é meu preferido, por não se tratar de alguém *paciente* em relação ao processo, mas, ao contrário, também *agente* dele. Além do que, como profissional, presto serviços a clientes.

Jorge foi um dos primeiros que tive. Em nossa segunda ou terceira sessão, depois de algumas de suas falas iniciais e de certo silêncio, percebe estar com dificuldade para se expressar. Identifica uma tensão que está tomando conta de seu corpo. Seu queixo, involuntariamente, começa a sofrer pequenos tremores que, aos poucos, se intensificam, como se estivesse com muito frio.

Pergunto sobre essa sensação que o está dominando, e ele, aos monossílabos e com muita dificuldade, dá alguns sinais indicativos. Pergunto se o que ele quer dizer é "isto" ou "aquilo", e ele faz sinal de "sim" ou de "não" com a cabeça. Já não consegue mais falar. O enrijecimento muscular agora aprisiona seus braços.

Estou intrigado e, sem o verbal como comunicação possível, busco alternativas para ajudá-lo. Levanto-me e peço que tente sair da cadeira e se deite. Ajudado, consegue. No tapete, o tremor, que agora invade todo seu corpo, reina. Jorge está suando. Eu, agachado ao seu lado, com as mãos em seu ombro e em seu braço, como que querendo contê-lo ou, de alguma forma, controlando-o em seu descontrole, vejo que a única maneira de contribuir é estar junto.

Mesmo que naquela época eu fizesse um curso de especialização e tivesse supervisões constantes, naquele instante éramos apenas nós dois. Não podendo esperar dele nada que sinalizasse quais deveriam ser meus próximos passos, busco em mim, entre ansioso, preocupado e tenso, alguma ideia.

De repente, aquela sensação que se apossou de seus membros edifica um túnel, por onde sou sugado e jogado ao encontro de minhas memórias. Um típico caso de manifestação da memória involuntária de que nos falava Proust. Caio no dia do velório de meu irmão. Com 12 anos de idade, minhas pernas estão paralisadas e só consigo caminhar com a ajuda de outras pessoas.

Meu irmão mais velho entre os homens, após a morte de meu pai, quando eu tinha 2 anos, tornara-se o esteio da família. Não pudera continuar seus estudos e dedicara-se, com afinco, ao trabalho, proporcionando-nos segurança. O sonho de ser engenheiro, no entanto, não o abandonara. Como eu me arriscava razoavelmente em meus desenhos, passei a ser estimulado a me tornar arquiteto no futuro: "Quando você crescer, vou pagar seu curso, e você será um grande arquiteto".

Aquela extensão dos seus desejos profissionais ainda por se realizar encontrava em mim complementaridade, dada pelo prazer que sentia ao ser levado a mundos distantes pelos traços desenhados. Aquele sonho, que passara a ser meu, também ressoou provocando tranquilidade, creio que como aquela sentida pelos antigos habitantes de pequenas comunidades, que sabiam, já ao nascer, que seguiriam a profissão do pai. O personagem arquiteto nascia em mim. Naquela minha infância, ainda sem novos horizontes a conhecer, o trajeto a trilhar estimulado por meu irmão dava rumo a uma pequena vida já marcada por perdas.

Isso perdurou até meus 12 anos, quando tais vislumbres se esfacelaram na traseira de um caminhão.

Eu estava jogando futebol no quintal da casa de um amigo. Terminada a pelada, peguei a bicicleta e fiz o caminho conhecido de retorno para casa. Entre uma pedalada e outra, observei alguns moradores nas calçadas, comentando algo que os deixava com as faces preocupadas, alguns deles apontando em minha direção. Algo havia acontecido. Foi longo o caminho do qual minhas pequenas pernas pareciam não dar conta. Corri muito para saber do acidente. Meu irmão e pai substituto estava internado.

Naquela noite tive um sonho. Acontecia numa torre de castelo medieval. Meu irmão lutava, naquele minúsculo espaço, com um inimigo e sua espada. Travavam feroz batalha. De súbito, meu protetor foi empurrado e caiu pela janela. Uma manchete de jornal se estampou: "O careca morreu". Fui acordado nesse momento por minha irmã mais velha, dizendo que ele não resistira à operação a que tinha sido submetido. O inimigo da torre o vencera.

Como suportar aquilo tudo? Como dar conta da ausência incontornável de alguém tão marcante, central em meu afeto, guia de meus projetos, provedor de meu futuro? Foi o que minhas pernas expressaram no velório ao adormecerem.

Compreendi por completo essa cena anos mais tarde, mais precisamente aos 25, em meu processo de psicoterapia. Meu corpo falara, aos 12, quanto estava e seria difícil caminhar sozinho.

Todo esse filme se passou, instantaneamente, enquanto eu estava ali, com as mãos em Jorge. Foi o que pude buscar em mim. Ainda de forma incipiente, algo começava a me fazer sentido.

Com cuidado, atento às suas reações, compartilhei as ressonâncias em minha memória das emoções provocadas pela dormência em seu corpo. Aos poucos, para meu alívio, algumas lágrimas escorrem por seu rosto. São os primeiros sinais de que estamos nos aproximando de algo, tocando, saindo da condição de impotência em que nos encontrávamos. Indícios que, em seguida, multiplicam-se e transformam-se em choro, que se intensifica e expressa dor profunda por meio de gemidos. Finalmente, o que eu ainda não sei o que é está se derretendo e rompendo comportas.

Um pouco mais aliviado, mas ainda entrecortado pelas lágrimas, Jorge balbucia algumas novas palavras. O relato da morte de meu irmão havia encontrado eco numa de suas histórias.

Nela, habitava seu irmão gêmeo, que falecera ao nascerem. Jorge está entrando em contato com a culpa que carrega desde então, ao se perguntar se aquela morte fora causada pelo fato de ele ter sobrevivido. Até que ponto minara as energias do irmão ao esforçar-se para se manter respirando?

Essa dor de incriminação mistura-se a outra, tão asfixiante quanto. Seu pai o desestimula, e praticamente o proíbe, de almejar seguir carreira na música. Deve se tornar técnico em eletrônica, algo muito mais promissor financeiramente.

Culpa e proibição se entrelaçam, formando nós que estrangulam o livre fluxo de seus desejos mais autênticos. Seu corpo todo, como as minhas pernas haviam feito antes, denuncia a impotência causada pela incompreensão da morte do irmão e pelas pesadas barreiras que se opõem à realização de seu sonho profissional. Nosso passado e nosso presente, nesse momento, estão de mãos dadas.

É insuficiente compreender por uma simples coincidência ou pelo mero acaso o fato de que eu tenha buscado em meu repertório algo tão, por que não dizer?, gêmeo do que ele estava vivendo, embora com algumas variações.

Uma possibilidade de leitura dessa situação seria pela ideia de coinconsciente. Trata-se do fluxo de forças inconscientes e comuns a nós dois, naquele momento, por estarmos numa relação e mobilizados a criar dentro do projeto partilhado da psicoterapia. É similar a alguns instantes peculiares entre amantes, quando conseguem estabelecer *flashes* de singular sintonia, como quando um se refere a determinado fato ou pessoa e o outro se surpreende, porque era nisso que estava pensando. Sem a pretensão de que seja a resposta para o que existe entre o céu e a terra, pela qual se debate nossa muitas vezes vã filosofia, não deixa de ser uma tentativa de elucidar esses estados de congruência e reciprocidade que se dão entre parceiros. Nessa linha, foi pela via do coinconsciente que Jorge e eu nos encontramos em nossas histórias.

Nas sessões seguintes pudemos retomar os temas emergentes. Estivemos juntos por mais ou menos um ano e meio. O fato é que seus nós parecem ter cedido, pois quase 20 anos após o término de nosso trabalho nos reencontramos: ele vira uma reportagem no jornal sobre o lançamento de meu primeiro livro. Compareceu e brindamos, pela obra e por sua vida como músico.

6. Personagens que são plateia

QUANDO A MÃE DE Fernando Pessoa se casa com o padrasto do poeta, e ela e o novo marido traçam planos de mudança de Lisboa para Durban, África do Sul, há instantes de titubeio sobre se era mais condizente levar ou não o filho, então com 7 anos de idade. Diante da situação, ele lança mão do recurso que tem e escreve um de seus primeiros poemas, com o título a revelar uma dedicatória, "À minha querida mamã" (AP, 3179):

> Ó terras de Portugal
> Ó terras onde eu nasci
> Por muito que goste delas
> Inda gosto mais de ti.

Só tendo um gélido coração para não capitular a um singelo mas significativo pedido como esse vindo de um pequeno filho.

Morando na distante Durban, Pessoa desenvolve ainda mais o hábito de se relacionar com personagens imaginários, o que não é incomum entre as crianças. Seu forte traço de introspecção abria as cortinas para que seu palco fosse habitado por companheiros com quem convivia. Um tipo de relação que com os anos foi aperfeiçoando e se tornou fonte e método de suas principais criações.

Recordo desse episódio no instante em que registro um trecho do processo terapêutico de Luiza. Talvez porque se trate de uma lembrança por associação com suas histórias: diante da ameaça de abandono, o recurso criativo; na solidão, os imaginários personagens companheiros.

Luiza e eu residimos a mais de 900 quilômetros de distância. Nossas sessões são sempre viabilizadas pelas telas e redes que nos conectam. O relato a seguir, entremeado por suas falas, contempla dois de nossos encontros, após os quais ela me enviou por escrito fragmentos que transcreverei.

Pesquisando uma faceta sua, caracterizada pela dificuldade de assumir determinados espaços e papéis com mais desenvoltura, identificamos que essa hesitação acontece por receio de desagradar o outro, principalmente nos relacionamentos de maior intimidade. No entanto, ao constatar que suas parcerias mais próximas não oferecem resistências suficientes a ponto de ser elas as responsáveis pelo titubeio em ocupar os lugares desejados, precisei lançar mão de outros recursos para que a pesquisa continuasse. Se os motivos não se encontram no cenário atual, visitaremos o passado.

Luiza então se reporta à época em que seus pais haviam acabado se separar, fato um tanto incomum na época, 1963, talvez ainda mais por estarem no Nordeste. Ela, aos 8 anos, a mãe e mais duas irmãs passaram a habitar um quarto na casa dos avós: "Minha mãe foi aceita por meu avô (o seu pai) para voltar a morar na casa dele, levando as filhas [...] sob a condição de não *desonrar a família* – significando ficar sem parceiro amoroso o resto da vida, como assim aconteceu. Estávamos acolhidas e surpreendentemente aceitas naquela família (avô, o patriarca, avó, um tio e uma tia que ficaram solteiros, sem filhos, para sempre)".

Apesar do até certo ponto inesperado abrigo, ele ocorrera: "Tínhamos tudo, uma família acolhedora, uma casa, e tínhamos que botar as mãos para o céu por ter escapado do nosso pai – uma criatura pra lá de desprezível, como era a imagem dele na época". Mesmo assim, "eu estava ali sentindo uma solidão danada que não podia compartilhar com ninguém. [...] estava me sentindo só, tinha medo de escuro, de ir ao banheiro sozinha à noite, de dormir descoberta, mesmo suando debaixo do lençol, ali ficava. Brincava muito sozinha, era filha do meio, conciliadora... Eu estava sozinha mesmo no meu sentimento, mesmo com duas irmãs e uma mãe dormindo todas juntas num quarto com duas camas beliche". Como em Pessoa, a solidão tornara-se um dos ingredientes para o surgimento de personagens que passaram a lhe fazer companhia, como veremos.

Além disso, Luiza também transitava pela dúvida sobre estar sendo aceita (como parece ter ocorrido, ao menos inicialmente, com Pessoa). No caso da nossa protagonista, mensagens dúbias eram emitidas pelos avós: acolhimento e incômodo. Sua percepção: "[...] o silêncio obrigatório, as verdades incontestáveis, 'criança não tinha querer', e assim me sentia oprimida, presa, e o sentimento de solidão prevalecia". Titubeio quanto a estar ou não sendo acolhida que retroalimentava a solidão. Fato esse que nos remete ao conflito inicialmente trazido, no qual hesita em ocupar espaços pelo receio de desagradar suas parcerias. Daí que seus personagens se tornam refúgio, configurando boas companhias e um apreço banhado de certa incondicionalidade que pode garantir maior segurança e conforto.

No entanto, seus personagens apresentavam uma singularidade: "Foi nesse contexto de vida que surgiu uma plateia imaginaria. Passei a imaginar em muitos momentos que havia pessoas em volta me vendo, observando, admirando e aprovando o que eu estivesse fazendo. Uma plateia selecionada para cada momento que me apoiava. Fisicamente ela ocupava os muros e paredes do cenário onde eu estivesse. Era tão real que eu falava mudando de tom, fazendo gestos e jeitos para agradá-la mesmo! Às vezes até repetia frases para que ela me notasse, olhava para ela com a sensação viva de que existia. Quem era a minha plateia? Amigos, pessoas famosas, pessoas importantes para mim naquele momento, um professor, um namorado, alguém admirável, meu tio, entre outros. Ninguém, absolutamente ninguém, sabia da existência dela, só eu. E tem mais, até hoje, aos 63 anos de idade, falei pouquíssimo dela para qualquer um, mesmo em meus muitos processos terapêuticos". Quem não tem um palco para si inventa um.

Robert Zajonc, citado na obra *O instinto de plateia na sociedade do espetáculo*, de Alfredo Correia Soeiro, denominou "plateia interna" a um fenômeno muito próximo a esse: "formada pelos personagens que foram ou são importantes para o indivíduo. A imagem desses personagens é apropriada e internalizada, passando a pertencer ao mundo psicológico e a ter 'voz'" (Soeiro, 2003, p. 107). A diferença, no caso de nossa protagonista, é que, além da formação interna, havia a projeção dessa plateia, o que facilitava sua interação imaginária.

Luiza lera esse livro de Soeiro onze anos antes e contou que ele foi responsável por seu primeiro suspiro de alívio. Destaco isso porque evidencia outra similaridade presente nos casos em que a imaginação gera universos paralelos. Retornando a Pessoa, além de nos casos de loucura existentes na sua família, a tormenta pelo medo de perder a razão – agonia que o perseguiu a vida toda – tinha origem em seus muitos "eus", criados sem saber aonde isso poderia levá-lo (Contro, 2018b). Mesmo assim, como ousado equilibrista, escolheu transitar pela linha tênue entre realidade e fantasia: "Eu que me aguente comigo e com os comigos de mim", afirmou Álvaro de Campos, um de seus principais heterônimos e talvez o que tenha mergulhado mais fundo nas contradições humanas.

Do mesmo modo, a menina Luiza não se viu livre dessas roupagens que muitas vezes o social nos veste. No fenômeno em questão, não passou ilesa pelas vestimentas que determinam – sob critérios não isentos de interesses e poderes – o que é saúde e o que é patologia. Começou ela a flertar com dúvidas sobre sua sanidade: "aparecendo com tiques nervosos, padrões TOC [transtorno obsessivo-compulsivo] de repetir gestos, olhares e movimentos. Me levaram para o neurologista e fizeram em mim um eletroencefalograma. Não tinha nada, me disse o médico.... Um horror ir àquele médico, coisa estranha me sentir estranha, talvez doente [...]. Quando o próprio doutor me absolveu e falou que podia ser 'psicológico, coisa e tal' [...]".

Aqui, leitor, mais uma vez retomo o alerta oferecido pelo perspectivismo nietzschiano ao observar que frequentemente não sofremos por um fato em si, mas pela interpretação que damos a ele. Nesses nossos encontros, somados a outras vivências anteriores de Luiza, mais uma vez redimensionamos e reforçamos a importância da construção da plateia imaginária ao inverter seu sinal negativo em positivo: "Hoje, quando ela não existe mais, falando sobre ela na terapia, no momento em que me levou a cenas imaginárias daquela época, tive vontade de me referir a ela como sendo 'a minha querida plateia'. Só hoje eu percebi com total clareza que foi uma criação imaginária saudável e extremamente útil para me manter saudável em minha vida. E isso me faz inclusive rever um conceito sobre mim que venho nutrindo há um tempo, de que 'eu tenho dificuldade no campo imaginário', que sou uma pessoa muito do 'real', coisas assim. Produzi, na verdade, uma saída criativa de sobrevivência, que, embora parecesse me deixar menos espontânea, constituiu um lugar de cura ou de alívio para meu sofrimento".

Sua audiência de personagens imaginários foi uma alternativa de necessária complementaridade para substituir modelos e referências faltantes. Pai ausente, mãe castrada em sua feminilidade. Daí que os tios, professores, ídolos passaram a ocupar o lugar de onde Luiza era vista, como forma de ela poder delinear seus papéis ainda germinais. Personagens que são espectadores para a configuração de papéis. Outros ícones e os namoradinhos, esses como personagens que, mais especificamente, contracenavam com os primórdios de sua mulher nascente. A presença e o olhar fictícios do outro funcionando como momentos de ensaio para experimentar formas de ser e estar no mundo.

A mensagem dúbia que compunha o clima da casa inibia o livre exercício do vir a ser. O público de personagens imaginários, ao contrário, num clima de intimidade vital para o acolhimento incondicional, oferecia-lhe um tablado onde ela podia se movimentar e bailar sem censuras ou condições e, assim, compor uma coreografia ao menos momentaneamente integradora: "Guardada numa caixinha de segredos ela vivia misteriosa e escondida quase de mim mesma, essa minha plateia. Presente nos muros, nas paredes, grudada por perto de onde eu precisava que ela estivesse. Ela era minha, totalmente minha, e às vezes podia vir mesmo sem meu consentimento. [...] Hoje penso que ela talvez tenha sido uma busca do meu jeito de ser".

Luiza escolhia quem estampava o rosto nos muros e paredes a observá-la. Para tanto, era inicialmente espectadora de seu entorno familiar e social, buscando perceber aqueles que, por algum critério, lhe eram significativos. Em seguida, trocava de posição. De espectadora passava a protagonista no seu palco e assentava as figuras idealizadas como sua audiência. Um jogo no qual havia a constante alternância de lugares, uma vez que esses posicionamentos são de interdependência incontornável. E ela, na verdade, a única autora ativa de suas inquietações.

Retornando ao ponto que motivou a pesquisa empreendida, Luiza agora tem mais ingredientes para lutar contra os instantes onde não se sente muito à vontade para ocupar algumas posições ou novos papéis. Não ocorrendo impedimentos ou restrições na relação com pessoas mais próximas, com as quais esse acontecimento se dá, ela tem agora um mapeamento de histórias anteriores que, mesmo em resquícios, ainda se fazem presentes anuviando alguns de seus passos.

Por vezes, nossos parâmetros construídos não só nos servem como balizadores mas podem enrijecer e se tornar caixas aprisionadoras que permitem somente a repetição: "Apesar de servir para meu consolo, me fazendo companhia, em alguns momentos também me direcionava a fazer coisas de um modo ou de outro, para agradá-la. De certa forma ela tolhia o que seria a minha espontaneidade, pensava eu em alguns momentos em que me sentia dependente dela. Tinha uma nítida sensação de que eu dependia mesmo dela, e isso me fazia sentir presa e menos natural no jeito de ser (um jeito que não sabia ser, na verdade)". Cenas antigas que merecem ser guardadas como referências, memórias, mas precisam deixar de ser vestígios a contaminar a ousadia por novos roteiros.

À medida que a escuto e interagimos, acredito que tenho sido outro tipo de plateia para Luiza. Estamos trilhando histórias que são suas. A protagonista é ela. A plateia saiu do muro em frente, transformou-se e passou para uma tela que nos conecta ainda que estejamos a centenas de quilômetros de distância um do outro.

7. Os personagens transferidos e o personagem terapeuta

Na história "Gravidez transferida", acompanhamos como foi terapêutico para nossa protagonista vivenciar um jogo onde pôde transportar seus afetos negativos em relação à mãe, direcionando-os momentaneamente para mim, para conviver melhor com a situação da chegada do novo irmão. No relato a seguir, veremos mais uma particularidade desse fenômeno no qual somos depositários de conteúdos com os quais o outro está com dificuldade de lidar.

Contratado para ser terapeuta de um grupo de alunos num curso de especialização em outra cidade uma vez ao mês, notei que, apesar de a primeira sessão ter transcorrido sem maiores observações, houve vários cochichos "ao pé da orelha" entre alguns pares. Minha leitura era de que se tratava, provavelmente, de curiosidade por minha forma de dirigir, de coordenar o grupo, pois pouco me conheciam. Eu tivera contato com apenas um ou dois integrantes anteriormente, num congresso. Fora indicado por um professor deles. Isso tudo me levou a não dar relevância nem destaque ao fato naquele instante.

Segunda sessão. Depois de transcorrida a etapa inicial, chegamos a uma cena escolhida pelo grupo e, quando estávamos começando a explorá-la, as "conversas ao pé do ouvido" deram largada. Interrompi o caminho trilhado até então e decidi pesquisar. Do que se tratava? Um tanto surpresos, meio sem jeito, foram aos poucos se colocando. De fato, mais do que me conhecendo, estavam me avaliando. Desmontei momentaneamente a cena primeira e pedi que escolhessem alguém para fazer o personagem Luiz, terapeuta. E outra pessoa para representar o grupo como um todo.

À medida que os participantes entravam na nova dramatização para dizer o que estavam pensando e sentindo, sobretudo no lugar de grupo, a trama, anteriormente manifesta por meio do sintoma cochicho, ia se revelando. Haviam contatado outra pessoa para ser o terapeuta, um professor da turma, antes de mim. Como ele adoecera gravemente e, por isso, necessitara diminuir seus compromissos, decidira não assumir mais um. No momento em que surgiu esse "novo" personagem na encenação, ele também passou a ser representado pela alternância entre os integrantes do grupo.

No transcorrer desse enredo criado em conjunto, puderam então realizar a emocionada despedida que não havia sido feita, pois esse querido mestre também deixara de dar aula para a turma. Elaboraram a rejeição que haviam sentido com sua recusa, fato que até então não haviam se dado conta de que era uma premência latente. Tomaram mais consciência de que sua negativa era uma necessidade inerente ao momento de vida por que passava. Assim, tiveram mais condições de perceber que estavam comparando minha forma de dirigir, de coordenar o trabalho, com a dele. E que, como sua primeira escolha fora recusada, se contrapunham, de antemão, com filtros de depreciação em relação à segunda.

Foi a deixa para que eu chamasse um dos participantes no intuito de ocupar meu lugar físico de diretor de cena, sem que efetivamente exercesse a função, para que eu pudesse verbalizar, mediante o personagem Luiz terapeuta, um pouco de como estava vivenciando a situação.

Afirmei que desejava ser reconhecido como Luiz, que tinha forma própria de conduzir os encontros e que, mesmo me solidarizando com a dor da separação pela qual passavam, não almejava que nossa relação fosse truncada por personagens, quaisquer que fossem. Prezava pela oportunidade de iniciar nova história. Voltei ao papel de diretor e, após alguns outros desdobramentos e com a concordância deles, finalizamos a dramatização.

Na etapa final, pudemos compartilhar nossas impressões, dispor os impactos causados, mapear com mais acuidade toda a trama construída antes mesmo de minha chegada, da qual passei a participar sem saber.

Nos termos da arte literária e teatral ou do procedimento terapêutico, personagens são sempre habitantes do campo imaginário, inclusive quando alguém incorpora a si próprio, desde que a situação representada esteja caracterizada como fictícia: voltar ao passado; dialogar com quem não está concretamente presente, mas figurativamente; conversar com alguém que está dando voz ao grupo, como foi o caso aqui, em que o terapeuta fez o personagem de si mesmo, ainda que apenas pela breve duração de minha fala.

O leitor já se acostumou a perceber tais entes como recurso da construção das histórias que pretendem transformações libertadoras. Mas eles não transitam apenas por esse território delimitado pelas paredes de um projeto terapêutico. Trata-se de fenômeno presente nas relações humanas. Daí sua aparição na vida cotidiana. Muito comuns são os personagens de um vínculo que são transferidos e passam a ter presença noutro, por vezes de modo até positivo, em outras causando ruídos, estranhamento, desencontros, anuviamentos. Quando são mapeados e devidamente instrumentalizados por um profissional, esse fenômeno transferencial pode ser canalizado e render frutos promissores.

Numa das peculiaridades deste relato, o personagem de uma história passada estava mantido no imaginário grupal ainda com força e se refletia na história deles comigo. Eu lidava com eles sem saber desses ingredientes importantes que se faziam presentes. A interação, quando se dá nessas condições, pode distorcer as percepções de ambas as partes, causar ilusões, tornar movediço o terreno comum onde se edifica a relação.

Esta é uma das funções desses trabalhos terapêuticos: atualizar os vínculos, dando morada mais propícia àqueles personagens que, por motivos vários, transferimos para cenas onde não residem, mantendo assim sua interferência perniciosa em nosso viver.

Nesta nossa história, mantivemos o projeto comum por dois anos. Sem cochichos.

8. Nem sempre assim

O CARO LEITOR PODE estar se perguntando se todas as histórias nessa seara de trabalho, inclusive as protagonizadas por adultos, encaminham-se de modo satisfatório. Por vezes não. Também sei que, quando o desenlace não sai a contento, meu aprendizado se estrutura de modo mais evidente, em função do que passo a questionar e rever.

Ao lidar com esses percalços, sinto-me acompanhado pelos autores que aqui nos referendam. Nietzsche diz que as forças que nos constituem só se desenvolvem quando em contraposição a outras. É por resistência e oposição que ganhamos musculatura. Esse seu posicionamento foi, em grande parte, fruto das intempéries com as quais deparou, principalmente as de seu corpo. Sofreu de fortíssimas enxaquecas que por vezes duravam meses e provocavam vômitos, tosses e até sangramentos. Em decorrência disso, aprendeu a valorizar seus dias sem dor. Enfatizava, já naquela época, o cuidado com a saúde, com uma alimentação que viesse a contribuir para a leveza do ser, para o amor pela vida.

Tendo sido professor na Universidade de Basileia, onde ministrou aulas de filologia por dez anos, passou a receber dessa instituição uma espécie de pequena aposentadoria "por invalidez", em função dessas crises que frequentemente o acometiam. Desde então passou temporadas em pequenas pensões ou na casa de amigos em lugares onde o clima e a cultura lhe eram mais favoráveis e inspiradores. Sul da França, sul da Itália e Suíça eram algumas de suas regiões favoritas. Nesses lugares, mesmo com seus sofrimentos, ou talvez por causa deles, viveu sua fase mais produtiva e deixou um intenso legado, postulando que deveríamos sempre buscar o para além do ser humano que com pouco se contenta.

Fernando Pessoa foi contaminado por vírus parecido. Desassossegado por natureza, não se furtou a encarar as próprias emoções e percepções de si mesmo como material para enriquecer suas páginas literárias. As vivências mais duras e carregadas de algum tipo de sofrimento se converteram em passagens importantes de sua obra.

Pois também tenho infortúnios nos trabalhos que realizo. Estimulado por esses autores, e retomando atitude já adotada noutros escritos (Contro, 2004, p. 127-35) por considerar importante relatar o percurso de construção de aprendizado de forma mais realista, compartilho um desses instantes com o leitor. Mesmo porque foi, além de tudo, terapêutico para mim.

Tive um breve contato com Maria. Perto de seus 50 anos, foi procurar ajuda no Centro de Saúde onde eu iniciava minha trajetória como psicólogo e engatinhava em minha especialização. Nordestina, trazia cravados em sua feição os traços da sina sem trégua do cotidiano a ser sempre conquistado. Perdera o pai muito cedo e o marido havia alguns anos, tendo que criar os filhos sozinha. Sem que expressasse nestes termos, necessitava de apoio para dividir um pouco da carga nos ombros. Estar com alguém para, pelo menos em alguns respiros semanais, deixar verter o medo, a insegurança, o não saber. Enfim, permitir-se ser um pouco mais humana.

Tomado pelo furor do aprendiz que sai afoito com o instrumento recém-adquirido nas mãos, acreditando que, com ele, dará conta de toda e qualquer situação, identifiquei, nos seus primeiros relatos, a necessidade de passar pelo luto da morte do pai, o que até então não fizera. Com o arsenal da dramatização em punho, propus que montássemos uma cena entre eles. Sem ainda dominar um repertório suficiente que cuidasse da importante etapa de aquecimento, na qual criamos, com a utilização de vários recursos, um clima propício à transição entre a realidade e o estado fantasioso que a dramatização precisa para se desenvolver, tive de insistir muito para que ela acreditasse que fazer aquilo a ajudaria.

Mesmo com essas dificuldades iniciais, após algum tempo conversando em cena com a representação de seu pai, Maria entrou em contato com forte emoção. Foi repassando situações em que se sentira só e desprotegida em função da ausência paterna. Perguntava a ele o motivo de sua ida repentina, inconformada com aquele estado de coisas. O choro transformou-se em largo pranto.

Eu compreendia a inevitabilidade desse seu primeiro contato mais intenso com o tema, que lhe era tão caro, e esperava o momento propício para que pudéssemos, baixada a intensidade de seus sentimentos, começar a elaborar, refletir um pouco sobre aquilo tudo, com o distanciamento possível, dando assim um passo à frente na sua reestruturação.

Acontece que a emoção não cedia. De uma situação a outra, Maria repassava muitas fotos. Uma longa e dura trajetória, como que delineando cada traço que carregava na face. Ocupou todo o tempo da sessão. Além do continente propício que eu lhe oferecia, pude ajudá-la a se dar conta de que estávamos nos minutos finais, que precisaríamos interromper aquele primeiro encontro e daríamos continuidade em nosso processo. Foi o que contribuiu para, em parte, restabelecê-la.

Na segunda sessão, Maria disse que passara a semana inteira incomodada com o que acontecera na anterior. Não conseguia tirar da cabeça o acontecimento de ter conversado com o pai. Estava confusa, por vezes acreditava que a almofada no canto da sala, usada na representação, era realmente ele. Mais do que ter ficado um tanto atordoada, tinha medo. Titubeara sobre voltar ou não a me procurar. Não queria mais fazer "aquilo".

Seu relato me provocou um misto de sensações. De um lado, havia uma preocupação com o que tinha nela despertado e um cuidado daí decorrente, a me alertar sobre a melhor maneira de conduzir o processo dali em diante. De outro, sentia certa satisfação em ver confirmada a dramatização como ferramenta que leva ao estado imaginário, fonte de revelações e de alternativas diante dos limites que a realidade por vezes nos impõe.

Essa última impressão preponderou no entusiasmado descobridor. Ferrenhamente apegado aos meus achados, mantive em segundo plano aquilo que – tempos depois me dei conta – deveria considerar primordialmente: a insegurança que me estava sendo trazida por Maria, seus limites e suas incertezas quanto ao procedimento adotado. Assim, insisti na argumentação de que atividades como aquela seriam a melhor maneira de ajudá-la.

Maria entristeceu-se. E nunca mais voltou.

Sua ausência foi um dos tapas que a vida me deu para que eu acordasse de meu sonho de encantadora onipotência. Maria estava me oferecendo de bandeja a necessidade da construção de um vínculo a ser cerzido sessão após sessão, relato após relato, num tempo imprescindível para que a cumplicidade entre nós pudesse ser costurada. Sem esse pano de fundo, não existe psicoterapia que funcione. Era pedir muito de alguém que havia passado por perdas ainda sem cicatrizar que se entregasse intensamente a um processo que nem sequer sabia ao certo se a fortaleceria. Ofuscado pelo brilho da técnica, não enxerguei seu momento. Fomo-nos distanciando, nessa segunda e última sessão, até nos perdermos de vista.

Sua partida fez que eu aprimorasse minha disponibilidade de entrega, talvez o respeito para com o outro, talvez maior equivalência entre conhecimento e sensibilidade. Meu personagem onipotente ganhou toques humanos. Só posso agradecê-la por sua parcela de responsabilidade pelos instantes em que consigo transformar em ajuda o contato com outras Marias.

9. Ensaiar o desejo

Nossas fantasias geradas, que abarcam lugares, cenas e personagens com os quais interagimos, podem ter a função de laboratório para averiguar aquilo que almejamos ou para tentarmos antever o que tememos. Colocamo-nos diante dessas nossas criações como plateia e observamo-nos no desenrolar dos acontecimentos produzidos por nós mesmos. Algum tempo depois, sentimo-nos mais à vontade, subimos no palco e nos assumimos como principais autores e atores dessas histórias que tecemos, realizando o planejado.

Foi num hospital psiquiátrico, em 1990. Comecei a trabalhar lá fazendo parte de uma nova equipe incumbida de construir um modelo de atenção que se contraporia ao que vigorava havia décadas e apresentava esgotamento. Era o início da reforma psiquiátrica que implantamos no país.

Sabíamos que boa parte do que até então era feito não contemplava muitas das necessidades dos pacientes. Num levantamento realizado por nós, havia muitos moradores que, fosse por abandono familiar, fosse porque o tratamento não tivera resolutividade, fosse por motivos outros, se acostumaram a ter aquele prédio como residência por mais de 20 anos. Havia um deles de quem nem mesmo se sabia o nome, a idade ou a origem, ou seja, que nem mesmo identidade tinha. Pacientes e funcionários o chamavam pelo único som que emitia: "i".

Muitas vezes sabemos mais sobre o que não queremos manter e temos pouca ideia do novo a ser colocado em seu lugar, e dessa vez não foi diferente. O modelo vigente era alvo de muitas críticas, mas como fazer de outro modo? Esse era o desafio.

Entre as muitas atividades experimentadas por nossa equipe a fim de lhes reconstituir socialização, dignidade, autonomia e alívio diante das angústias que viviam, eu coordenava, semanalmente, alguns grupos de psicoterapia. De um deles, participava Lúcio. Um negro alto, forte, com seus 20 e poucos anos de idade, internado para desintoxicar-se das drogas que usava. Malandro ao feitio dos antigos tempos, tinha aquela ginga "mamulenga" temperada pela incrível capacidade de "influenciar e fazer amigos" que alguns receituários tentam, em vão, ensinar.

Pediu, certo dia, que dramatizássemos uma cena sua. Com a concordância do grupo, trouxe-nos a fantasia de como seria sua saída do hospital. Imaginou em detalhe a data da alta, o tempo lá fora, o percurso até a casa da tia e a forma não muito afável com que seria recebido. Além disso, estendeu suas projeções para os dias seguintes, incluindo alguns pequenos planos.

Tivemos mais uma sessão na semana seguinte e, na posterior, Lúcio não apareceu. Quando questionei um funcionário, este informou que ele fugira havia dois dias. Pulara o muro e ninguém mais o vira.

Parece que a dramatização foi uma forma de vivenciar o que já estava maquinando. Até porque fugiu naquele exato dia do mês imaginado. Afinal, não estávamos todos experimentando?

Aproveito para tomar esse episódio e Lucio como personagens para outras reflexões. Inicialmente sobre a ideia de eterno retorno trazida por Nietzsche (2012, § 341).

Conta o filósofo ter tido como que uma epifania quando, ao pensar que o tempo não tem começo nem fim, compreendeu que não seria, portanto, linear e, consequentemente, seu movimento aconteceria de modo circular. Assim – e aqui está a intuição que teve –, tudo que acontece se repete ainda muitas vezes e sempre, num eterno retorno. Segundo esse princípio, passaríamos infinitamente pelos mesmos instantes já experienciados.

Não é possível comprovar nem desmerecer cientificamente esse pressuposto. Por isso, faço coro com autores que o compreendem como provocação para facilitar que avaliemos nosso ser e estar no mundo, guiando-nos pelo critério da valoração da vida. Nessa linha, instrumentalizo tal concepção reproduzindo para meus clientes a questão nietzschiana: imaginemos que sua vida como é hoje se reproduzirá eternamente da mesma maneira. Você mudaria algo? Ou deseja que ela se repita desse modo como está?[2] Se necessita alterar alguma coisa, o que seria, como seria, quando seria?

Retornando a Lúcio, podemos conceber que ele parece ter, a seu modo, se colocado questão desse tipo. E que, como dependente químico internado num hospital psiquiátrico, convivendo com pessoas em estado muito mais comprometido que o seu, soube respondê-la com o planejamento e a fuga empreendida.

Esse caso me parece bastante emblemático dos temas com os quais nós, cuidadores, deparamos e aos quais os autores com quem aqui dialogamos se referem. Isso porque a institucionalização nos permeia todo o tempo. Mas, em instituições como escolas, igrejas, quartéis, hospitais, entre outras, ela se evidencia mais. Assim, somos regidos, consciente ou inconscientemente, por regras, normas, doutrinações, modelagens, condicionamentos, valores que, muitas vezes não estão em função das necessidades daqueles que nelas se inserem ou são inseridos, mas quase ou tão somente em prol dos próprios interesses dessas instituições, visando alimentá-las, legitimá-las, preservá-las, conservá-las.

Ter consciência e crítica em relação a isso é permitir-se sair da condição de rebanho, diria Nietzsche. E a provocação feita pela noção do eterno retorno se coloca a esse serviço. Pois

---

2. Em outra publicação, descrevo uma sessão de psicoterapia em que me utilizo desse recurso (Contro, 2018a).

Lúcio soube, de alguma maneira, fazer sua avaliação e valorar sua vontade de potência, seu desejo de uma vida que não se restringisse às contenções daqueles muros. Fora dali teria condições de ser, segundo mais um postulado do filósofo, um criador de valores. Dentro daquelas paredes, se limitaria a apenas carregá-los e reproduzi-los. Mimetismo, reprodução, e não criação.

Naquele momento, as instituições manicomiais eram uma espécie de "depósito de pessoas". Todos aqueles normativamente desviantes, com os quais a sociedade não sabia lidar, eram internados ali. Lúcio, nesse sentido, é nosso personagem representativo desse drama: um dependente químico com suas capacidades cognitiva e afetiva preservadas a conviver com pessoas que sofriam de delírios que as mantinham desconectadas de uma convivência mais salutar.[3]

No entanto, esse episódio não só é uma amostra da particularidade daquele momento histórico de nossa política pública em saúde "mental", mas também serve para questionarmos todo tipo de imposição ou sujeição a normas que são contra o pulsar da vida.

Na mesma direção que o questionamento ofertado pela noção de eterno retorno, podemos pensar que também o "tornar-se outro" apregoado por Pessoa se coloca e está a serviço das fissuras nas institucionalizações opressoras. Lúcio foi buscar ser outro que não um interno num hospital psiquiátrico, local para onde nunca deveria ter ido. Negando aquela identidade de internado, resolveu buscar sua singularidade de modo afirmativo, escolhendo ativamente um outro em vir a ser para além dos muros.

Pessoa, como todo grande artista, assim reconhecido por proposições dessa estirpe, coloca-se próximo de ser médico de si

---

3. O filme brasileiro *Bicho de sete cabeças*, de 2000, dirigido por Laís Bodanzky, com roteiro de Luiz Bolognesi e baseado no livro *Canto dos malditos*, de Austregésilo Carrano Bueno, aborda o mesmo assunto.

próprio e da civilização. Assim dizia Nietzsche, referindo-se não exatamente a Pessoa, pois lhe foi anterior, mas aos artistas geniais, linhagem na qual esse poeta se inclui.

Outro conceito que oferece uma leitura muito semelhante à que estamos fazendo do acontecimento em pauta foi trazido por Gilles Deleuze (1925-1995), filósofo francês muito influenciado por Nietzsche. Denominou-o linhas de fuga, aquelas que nos levam a fugir dos papéis institucionalizados, cristalizados. Há que se reconhecer que se trata de uma designação bastante sugestiva para a ação empreendida por Lúcio. Não a fuga do não enfrentamento, mas a fuga para longe do repetitivo, do determinado pelo outro.

Portanto, a dramatização serviu para Lúcio e sinaliza que pode ser útil a qualquer um, para que nos projetemos e nos experimentemos em novos lugares aonde desejamos chegar e para que, ao fazê-lo, consigamos nos reinventar em outras possibilidades concretas.

Além de levar a novas geografias, a potência da dramatização se dá na instrumentalização da simultaneidade dos tempos que o contexto da fantasia permite. Como vimos nas páginas iniciais em que nos referimos a Proust, em sua obra a sobreposição dos tempos se deu entre presente e passado. Com Lúcio, entre presente e futuro. Mas o princípio é o mesmo. Tanto a memória involuntária, que tão bem descreveu o literato, quanto a noção de eterno retorno nietzschiana partem do pressuposto de que o tempo, não sendo linear, é cíclico. Por isso, permite que passado, presente e futuro estejam imbricados.

Tanto Proust quanto Nietzsche oferecem sinalização similar. Proust, ao buscar não priorizar o tempo cronológico, corriqueiro, dirigia-se ao tempo das intensidades, ou seja, era o tempo da experiência, da vivência pulsante que lhe interessava. Esse seria o tempo da vibração da vida. Considerando o eterno retorno, como Nietzsche, há que se viver com a intensidade que nos dá sentido, com *amor fati*, amor aos fatos, amor pela vida. A eles se juntaria Pessoa, uma vez que seu Álvaro de Campos sempre reiterava desejar "sentir tudo de todas as maneiras".

Também comum a Nietzsche e Proust, segundo Roberto Machado[4], é a noção de eternidade que atravessa a concepção de ambos em razão do tempo circular que a pressupõe. Se tudo retorna e se não há dicotomia entre passado, presente e futuro, o infindável está dado. Mas não o perdurável de um mundo outro que estaria em consonância com a ideia dicotômica platônica e das religiões judaico-cristãs, que pressuporia uma essência que se mantém ao infinito. Eles se referem a um fragmento da existência que escapa ao tempo linear, sendo um momento de intenso sentimento de prazer, talvez da ordem de uma epifania. Uma simultaneidade relatada pelo filósofo e pelo literato que momentaneamente aboliria o tempo destruidor, que seria extratemporal em relação ao tempo cronológico, pertencente ao tempo da experiência, do passado e do futuro que se atualizam no presente. Mesmo Platão, a quem se remonta a origem do entendimento do mundo como cindido entre terreno e metafísico, parece que teve seus momentos de júbilo ao aproximar-se de compreensões mais complexas, porque do âmbito das inter-relações, ao pronunciar a frase "O tempo é uma imitação móvel da eternidade".

O tempo que permanece é aquele que foi vivido intensamente. Essa seria a experiência mais radical, por onde se transitaria de modo mais abissal pelo tempo, uma vez que recriaria o homem momentaneamente livre do jugo do próprio tempo que insiste na sua sucessão irreversível. Pois é nessa categoria de tempo que se insere a construção de personagens, das imagens, das dramatizações que veiculamos com quem nos pede ajuda. As memórias do passado e os desejos que se projetam num futuro

---

4. Veja no YouTube a palestra "O tempo simultâneo em Proust", proferida por Roberto Machado na Universidade Federal de Goiás. Disponível em < https://www.youtube.com/watch?v=TRGRSGXLTGE>. Acesso em 20 out. 2019.

passam a coexistir no momento presente de duração dos símbolos, metáforas e fantasias que agenciamos.

Nunca mais tive notícias de Lúcio. Não sei se retornou às drogas. Mas tenho certeza de que aquele ato foi simbólico, como referência a ele e a outros, ao demonstrar que pode ser importante experimentar lugares diversos, vestir novas roupas, diferentes das camisas que muitas vezes tentam até mesmo à força nos impor.

10. Para além da comunicação verbal

Início de fevereiro de 2006. Centro Cultural São Paulo, onde vou dirigir um psicodrama público, evento aberto à comunidade que acontece todo sábado pela manhã, desde 2003. Chego e encontro alguns amigos nos corredores. Quando me dou conta, estamos numa roda contando histórias sobre nós, uma vez que alguns deles não se conhecem. Os relatos, para além das apresentações formais, nos identificam. Talvez eu mesmo, ponto em comum nessa rede, tenha estimulado esse fato, sem o perceber, uma vez que me aqueci exatamente para isto: em meu papel de diretor, facilitar, mobilizar o público participante, para que ele se sentisse num clima propício a contar e ouvir histórias e perceber as ressonâncias provocadas pelo discorrido, encenado.

Agora são quase dez e meia da manhã. Eu e o músico que convidei estamos afinando nossos instrumentos enquanto o público chega. Mariana passa por ele e diz algo parecido com "Daquela vez o trabalho não foi legal, não!", expressando indignação com a sessão conduzida por outra pessoa. Vejo a cena de relance e observo Mariana se sentar distante.

Começo o trabalho perguntando quais participantes estavam vindo pela primeira vez. Boa parte do grupo se enquadra nessa situação. Faço uma proposta: que nos reunamos, como nas tribos ou comunidades antigas, para contar histórias sobre nós mesmos. Uma pausa no acelerado ritmo de vida contemporâneo, com a pretensão de elaborar melhor, digerir acontecimentos, emoções, questionamentos, enfim, para que possamos nos sentir, por um breve espaço de tempo, um grupo com enredos a compartilhar.

O grupo aceita, e começamos o aquecimento para os papéis de contadores e atores de histórias. Espaço, corpo e som são as coordenadas exploradas por meio dos exercícios iniciais. Para se conhecerem, contam histórias curtas em duplas.

Restrinjo o espaço do palco e nos sentamos em volta dele, delimitando-o. Roda, teatro de arena, onde a fogueira imaginária, ao centro, será a das tramas produzidas. Proponho ao grupo como um todo que selecione e relate apenas três histórias das que ouviu e, por algum motivo, lhe ressoaram. As escolhidas têm em comum mulheres guerreiras que, depois de passar por situações difíceis, conseguem se reerguer. Lutas por sobrevivência. Um grupo de participantes monta uma cena que conta essa história. Em seguida, busco novos ecos que possam estar no grupo, e Mariana, ainda sentada distante, se manifesta. É chamada para nossa roda.

Ela remete-nos ao início de sua faculdade, quando teve um grave tipo de caxumba, de ambos os lados do pescoço, ficando praticamente imobilizada, com muitas dores por todo o corpo e risco de ficar cega. Os prognósticos não eram animadores. Estou ao seu lado enquanto conta, vejo seu tremor, mãos frias, emoções pulsantes. Escolhe Lúcia para representá-la, na tentativa que faremos de recontar e refazer sua história.

Vários caminhos são percorridos para que ela possa experimentar ressignificar suas impressões ou vislumbrar novas alternativas para elas. Torna-se uma parte dela mesma a dialogar com aquela adolescente que foi, inverte papéis, assiste à cena na qual outros participantes incorporam personagens a interagir com Lúcia, a representá-la em seus conflitos. No palco, luta contra pretensas determinações, como havia feito na ocasião, anos atrás. Não ficara cega e conseguira terminar a faculdade, contrariando opiniões. Ainda agora necessita enfrentar alguns desses fantasmas que teimam em ameaçá-la. Mulher de fibra, estivera muito só. Aqui, procura a força do grupo. Talvez o motivo pelo qual tenha retornado. Finaliza sua história entrando ela mesma em cena e dando as costas para as forças que tentam oprimi-la. Segue nova direção.

Bastante mobilizados, ainda proponho, em função do tempo propício, outra última história que poderia estar ecoando entre nós. Uma avó, buscando morrer em paz, encontra serenidade ao contar, numa roda com seus filhos e netos, histórias entre ela e eles. Cena feita, aproveitamos o personagem para ser nosso porta-voz e afirmarmos o que gostaríamos de fazer, contar ou viver antes de findarmos nossa vida.

Compartilhando nossas impressões mobilizadas pelo encontro, ouvimos de Lúcia que Mariana talvez não a tenha escolhido ao acaso para representá-la. Uma bala perdida em seu pescoço, na saída de um *shopping*, fizera que também tivesse de lutar entre a vida e a morte. Mariana e Lúcia são de cidades diferentes e nunca haviam se visto. Quando Mariana começou a contar sua história, Lúcia sabia que seria escolhida.

Esse fato, caro leitor, enquadra-se no campo da teoria do coinconsciente, respaldando-a, como já dito por ocasião da história de Jorge em "Nossos nós". Casos assim não são poucos nem acontecem apenas comigo. Entre duas pessoas ou mais que estão reunidas em função de um projeto comum, esse fenômeno é muitas vezes identificado. Está além de nossa comunicação verbal.

De outros acontecimentos ouvimos relatos ou até mesmo os presenciamos, como foi o caso da história a seguir.

11. Supervisão e antevisão

Nesse nosso tipo de atividade, é fundamental que tenhamos um espaço onde possamos discutir, com outros profissionais, os processos que desenvolvemos, seja em psicoterapia, seja em intervenções institucionais, organizacionais e comunitárias de toda ordem. Esse espaço se tornou conhecido em nosso meio pela denominação "supervisão". Apesar de o termo trazer a ideia de que seja uma "super-visão" que a tudo abarca, sabemos que essa expectativa é inatingível.

No entanto, compartilhar os pontos cegos de nosso trabalho com outros profissionais pode nos lançar luzes elucidativas. É, se não a garantia de um profissionalismo criterioso e responsável, um movimento nessa direção. Principalmente quando estamos iniciando a construção do papel de psicoterapeutas. Como, na verdade, ele está sempre em construção, pelo dinamismo e inusitado que lhe são inerentes, a supervisão estende-se por muitos anos.

Certa feita, tendo assumido o papel de supervisor da equipe de saúde mental de uma cidade vizinha, percebi-me ansioso. Eu atuava havia pouco tempo, por meio de concurso, como psicólogo numa unidade de saúde daquele município e me vi na situação de lidar com todas as reações possíveis da parte do grupo a ser supervisionado, constituído por diferentes profissionais oriundos dos diversos serviços que, a princípio, deveriam atuar de maneira integrada. Meu frio na barriga revelava um sintoma de alerta perante aquele contexto. Assim, levei-o como tema ao profissional que me orientava em supervisão.

A cena que escolhi para que pudéssemos concretizar a situação e sobre ela nos debruçarmos foi a da primeira reunião que se daria entre mim e o grupo todo dali a alguns dias. Contaria com cerca de 15 integrantes, sendo alguns meus conhecidos e outros não.

Ao montar a cena, para que pudesse interagir com os diferentes participantes, localizei detalhadamente o lugar em que cada um se sentaria. Transcorreu tudo muito bem; fui capaz de mapear algumas possíveis dinâmicas que, aos meus olhos, compunham aquele cenário, o que facilitou a identificação de conteúdos e personagens que poderiam estruturar o papel de supervisor que eu estava delineando.

Alguns dias depois, na situação real de reunião, ao entrar na sala e esperar pela chegada dos que estavam atrasados, fui tomado por um misto de sensações. Dei-me conta de que as pessoas estavam dispostas exatamente nos mesmos lugares onde eu as havia colocado em minha cena imaginária. Sem minha interferência, e para o aumento de meu estado de surpresa, os que vieram depois sentaram-se nos assentos anteriormente previstos.

Diferentemente da história anterior e daquela relatada em “Nossos nós”, em que a noção de coinconsciente nos subsidiou, a peculiaridade aqui passa por uma antevisão, pela percepção de um episódio que viria a acontecer dias depois. Esse fato também não é incomum – o leitor já deve ter escutado outras histórias com esse teor. Tomo-as como estímulo para meu personagem pesquisador, para movimentar-me na direção dos desafios que tentam desvendar os cantos ainda obscuros, e me parece que infindáveis, que a vida nos apresenta. Talvez nisso esteja um dos sentidos e um dos prazeres de viver.

12. Outros tons de cinza

Toda expressão, verbal ou não, da parte do cliente que entra na sala e começa uma sessão merece que estejamos atentos. Muitas vezes, pode conter o tema central do que trataremos naquele dia. Ou, no mínimo, sempre é uma oportunidade de pinçar algo para iniciar uma conversa que se pretende que seja a mais franca possível. Na história a seguir, também fica evidente quanto os assuntos de nossa vida se encadeiam, constituindo um labirinto que podemos percorrer e explorar conjuntamente, constituindo mapas, removendo obstáculos, entulho, construindo saídas.

Lápis e caderno sempre a acompanham enquanto aguarda na sala de espera. Silvana é artista plástica e aproveita o tempo fazendo esboços. Dessa vez, já iniciando nossa sessão, comenta que as páginas desse novo caderno são cinza e que tem sido bom o desafio de buscar cores que dialoguem com esse tom.

Percebendo certa ênfase em seu relato, suponho que esteja expressando algo mais significativo do que simples palavras de início de contato. Mesmo porque nos conhecemos há tempos e tornara-se comum articularmos seus estados emocionais, suas dinâmicas relacionais e seus conflitos com sua produção artística. Pergunto, então, se o cinza a remete a situações de sua vida ou se há algum tipo de cinza nela, no momento, para o qual precisaríamos olhar.

Sua memória afetiva a leva a contar que a mãe – também pintora, mas que se restringira a apenas reproduzir imagens –, de alguma maneira, proibia que se usasse o cinza em casa. Vindas de um país nórdico, passaram pelas dificuldades impostas pela guerra, que espalha as cinzas e os cinzas. Por meio de Ricardo Reis, Pessoa assim lhe daria voz:

> Há uma cor que me persegue e que eu odeio,
> Há uma cor que se insinua no meu medo.
> Porque é que as cores têm força
> De persistir na nossa alma,
> Como fantasmas?
> Há uma cor que me persegue e hora a hora
> A sua cor se torna a cor que é a minha alma. (AP, 3999)

Silvana está, então, se permitindo redescobrir o cinza.

Mais do que isso: como tinha sido uma criança alegre, cheia de vida, amava as cores. Essa vivacidade causava incômodo naquela época, naquele tipo de cultura. Viera para o Brasil com 7 anos e morara inicialmente próxima de conterrâneos, segundo os quais "criança era para ser vista, mas não para atrapalhar a conversa dos adultos". Na tentativa de continuar sendo aceita pelos pais, sua resposta foi se introverter, refugiar-se no mundo de sua fantasia. Passou a prestar atenção em tudo que falava ou fazia, cuidando para nunca invadir. Embotou sentimentos, guardou opiniões. Essa repressão, num mergulho para dentro, pode ser um dos motivos do surgimento da fibromialgia recente. Depois de ter interrompido as sessões por alguns meses, retornara com esse sintoma que aparecera após um roubo acontecido no apartamento para onde ela e o marido haviam acabado de se mudar.

O relacionamento com o marido a ajudara a desmistificar em parte aquele padrão de dinâmica relacional que havia incorporado. Nos muitos anos de convívio com ele, desconstruíra um tanto do modelo de si mesma como alguém incômodo ou que atrapalhava um outro. Porém, o parceiro, segundo sua avaliação, por vezes tinha como característica depositar sempre no outro as razões dos conflitos, o que contribuiu para que ela reforçasse o personagem que denominamos "esponja". Por exemplo, se os filhos do casal estivessem causando algum tipo de tensão denunciada pelo marido, ela, nesse movimento que se voltava para dentro, autorreferente, durante muito tempo havia entendido que o problema seria de responsabilidade sua. Posto de outro modo, "tudo depende de mim", "eu absorvo tudo para mim". Daí o personagem "esponja".

Um personagem inevitavelmente constituído por culpas. Agora nesse território, Silvana rememora duas cenas representativas desse sentimento: na primeira, tem por volta de 5 anos e, nalguma reunião de família, sai sozinha num barco a remo pelo rio, distanciando-se dos olhos dos adultos. Quando se dá conta do perigo, desespera-se. Um primo mergulha e a resgata. Mesmo não tendo registro de ter sido penalizada por algum adulto, ela desempenha o papel de punidora de si mesma. Na segunda cena, aos 12 anos, já no Brasil, os pais se separam e, apesar de ela sentir esse episódio como um alívio, pois eles brigavam muito, fantasiara que tenha sido ela a causadora.

Chegar a essas cenas é como iluminar uma sala escura, mapear seus contornos e objetos empoeirados. Precisamos agora abrir as janelas e tirar o mofo. Fazer circular novos ares. É a oportunidade de escolher novamente, habitar ou transitar por esses cômodos de outra forma, com mais vida e menos sofrimento. Estimulo os passos adiante sugerindo a ela que retome pelo imaginário essas cenas e, guiada por seu desejo, diga ou faça algo junto com aquela menina e aquela pré-adolescente. Assim o faz.

A menina é abraçada, acolhida, e não julgada. Com a de 12 anos conversa, rememora cenas nas quais pai e mãe há muito já não se identificavam. Antes ainda de se separarem, o pai passara a trabalhar noutra cidade, vindo raramente visitá-los. Carregar o peso de uma resolução que só coube aos adultos era injusto com ela.

Essa sala do labirinto que tinha por tema a separação levou a um anexo: havia se separado de uma cuidadora, uma adolescente como ela, que voltara para sua cidade de origem. Era a única pessoa com quem se sentia à vontade e com quem conversava espontaneamente, sem medo de ser avaliada. Recentemente, tivera um sonho no qual andavam por uma larga e longa avenida sem receio de que fossem atropeladas, conversando. Representativo, portanto, de seu desejo de viver e se relacionar de forma mais livre.

Retomamos mais uma vez quanto sua expressão pela arte é, também, um modo de ajustar, equilibrar, legitimar seus movimentos como ações, de forma geral, para fora. Alinhavamos o final dessa sessão retornando à imagem inicial trazida por ela: tem descoberto cores no cinza. Um cinza que agora pertence a ela, não mais uma reprodução do sentido dado pela mãe. Podem-se experimentar cores em combinações singulares, porque mais autênticas.

13. Atualizando as formas, os termos, os personagens

Nossa época traz peculiaridades que, inevitavelmente, se fazem presentes num trabalho psicoterápico. Não só no que se refere aos temas mas até mesmo no que diz respeito à forma, por exemplo o contato via internet. Na história a seguir, conto mais uma sessão realizada nesses moldes, como já havia feito com a de Luiza em "Personagens que são plateia". No caso específico de Carla, a cliente deste capítulo, alternamos nossos encontros entre presenciais e *on-line*. Há ganhos e perdas nesse procedimento em relação aos quais não cabe me alongar diante dos objetivos deste livro, mas registro que ter essa possibilidade de trabalho é interessante.

Outro aspecto a destacar é que, tanto quanto a história de Silvana contada anteriormente, o sentimento de culpa também aqui é conteúdo marcante. A repressão de comportamentos de toda ordem é mais constante nalguns segmentos sociais, como o sabemos, dentre eles o das mulheres.

Ainda outro realce, não menos importante: entre as manifestações que o terapeuta pesquisador observa e das quais segue no encalço para decifrar os enigmas que lhe são compartilhados, determinadas palavras usadas pelos clientes são pistas significativas. Por vezes, evidenciam toda uma trama. A esse respeito, os autores que servem de baliza a este livro têm muito a dizer. Nietzsche, como vimos, foi filólogo de formação. Ou seja, fez estudos rigorosos sobre o desenvolvimento e a transmissão das línguas. Trajetória essa fundamental para que percebesse como os valores, as normas e as pretensas verdades são erigidas como frutos da conjunção de forças características de uma época e cultura, ocasionando sempre uma resultante de duração correspondente ao de seu período histórico. Crenças que se expressam muito fortemente pelas palavras. Como exemplo, num de seus livros escritos em fase mais madura, *Além do bem e do mal*, oferece uma genealogia desses termos, defendendo a ideia de que, com o tempo, a noção de "ruim" deu lugar à de "mal", principalmente por causa da conotação recebida das religiões judaico-cristãs e do ressentimento e da culpa por elas incutido. Com base em constatações como essa, propôs o que denominou uma "transvaloração" de todos os valores, ou um ir além do que os valores determinam. O que nos nortearia seria uma inequívoca forma de avaliação, a saber, se nossos pensamentos e atitudes promovem a expansão ou o atrofiamento da vida.

Com o poeta português não foi diferente. Se tomarmos apenas uma de suas frases, "minha pátria é a língua portuguesa", perceberemos a dedicação e o esmero com que a tratou. A busca incessante dos significados, da harmonia entre os termos, do tempo e das pausas a permeá-los, entre tantos outros recursos, fez de sua obra uma ode à beleza, à intensidade da expressão da vida humana, com suas delícias e suas dores. Reconhecidamente um artífice da palavra.

Deixemos o próprio poeta escrever, pelas mãos de seu semi-heterônimo Bernardo Soares, em trecho que antecede a frase anteriormente pinçada:

> Gosto de dizer. Direi melhor: gosto de palavrar. As palavras são para mim corpos tocáveis, sereias visíveis, sensualidades incorporadas. Talvez porque a sensualidade real não tem para mim interesse de nenhuma espécie – nem sequer mental ou de sonho –, transmudou-se-me o desejo para aquilo que em mim cria ritmos verbais, ou os escuta de outros. Estremeço se dizem bem. [...] fazem formigar toda a minha vida em todas as veias, fazem-me raivar tremulamente quieto de um prazer inatingível que estou tendo. (Pessoa, 2018, p. 60-2)

Pois, se para o filósofo e o poeta a palavra é instrumento de ofício, para o psicoterapeuta ela se encontra entre os mais relevantes. Em seus interstícios residem sentidos que nos pedem que estejamos atentos.

Após ajustar a tela e o som, Carla e eu estamos mais uma vez conectados. Na semana anterior, diante de um dos frequentes imprevistos de suas viagens a trabalho, só foi possível nos falarmos quando estacionou o carro num posto de combustível à beira da estrada. Caso se mantivesse no congestionamento, não chegaria a tempo. Com ela ali, fizemos nossa sessão. No encontro virtual de hoje, ao menos, está em sua cidade e em casa, de onde agora conversa comigo.

Carla vive atualmente um dilema entre a oportunidade de alavancar e expandir seu papel de empresária e executiva ou ter mais tempo para sua vida pessoal, diminuindo o ritmo de compromissos profissionais. A ponta do fio do novelo que passamos a desenrolar, para ter mais clareza dos diversos componentes desse momento de titubeio, foi dada por uma expressão por ela usada. Para se referir ao seu lado que clama por mais espaço de agenda pessoal, usou a expressão "tornar-se mulherzinha e ficar em casa". "Por que esse significado pejorativo?", questiono. Foi o suficiente para ela relembrar a pré-adolescência, quando iniciara a vida sexual prematuramente, coagida em sua ingenuidade. Ainda hoje se sente culpada por essa vivência.

Desta feita, no entanto, avançamos um tanto mais. Caso seu círculo familiar e de amigos descobrisse aquelas experiências sempre mantidas em sigilo, corria o risco de ser rotulada. Para se contrapor à imagem negativa de si mesma que internalizara, Carla desenvolveu ou aprimorou outro lado seu: a menina certinha, responsável, eficiente.

Essa dicotomia a acompanhou durante toda a vida e permanece. A menina sexualmente precoce e cheia de culpa ficou associada, em seu íntimo, às figuras de outras meninas que, numa das localidades em que morara, tinham filhos na adolescência e tornavam-se donas de casa sem nenhum projeto além do papel de mãe. Contrapondo-se a esse "submundo" - outro termo de que se serviu para contextualizar tais episódios –, emergiu uma guerreira, mulher dinâmica, de ação, propositiva e independente, com força de sobra para não se submeter a nenhum homem que tentasse, mais uma vez, subjugá-la. Quando está vestida desse personagem, o comando é dela.

Atualizemos o embate de forças contraditórias que a atravessam: quando depara com a oportunidade de não precisar mais ficar à frente dos negócios, o que pode lhe dar autonomia para escolher uma vida economicamente mais tranquila, cuidando da casa, por exemplo, imediatamente lhe vem à cabeça a personagem "mulherzinha imersa no submundo". Aquela que se acomoda numa vida mais acanhada, quase inexpressiva, porque não pode aparecer.

Dá-se conta de que outro efeito dessa cisão aparece nas situações em que recebe um elogio. Fica constrangida. Passa a entender que o que poderia ser tomado como reação de timidez na verdade é fruto de não se sentir merecedora. Seu "submundo" é escuro, feio e precisa continuar marginal. O personagem da mulher ativa ainda é, para ela, uma tentativa de compensação apenas, não merecendo ser admirado. Tem receio de que sua executiva seja uma farsa, como se originalmente, no fundo, ela fosse a "mulherzinha".

Percebe também que ter vivido relacionamentos seguidos, um após o outro, foi uma maneira um tanto canhestra de articular a menina escondida com a mulher à mostra. Na intimidade de um convívio mais intenso e sexual, houve espaço para que ambas pudessem circular sem tanta contradição.

Tomar consciência disso tudo é andar um bom pedaço do caminho na direção de conquistar uma autonomia mais verossímil quando comparada com a de tipo reativo que primeiramente vivenciou com o personagem da mulher independente. Naqueles episódios, geradores de efeitos colaterais, encontrara uma alternativa ao conflito instalado, a resposta possível e útil para achar uma saída. Entretanto, a manutenção dessa cisão e desse embate entre seus lados não lhe serve mais. É necessário rever, atualizar, transformar, dar outros significados, encontrar novos arranjos.

Com mais crítica, pode, sim, ousar escolher desafios maiores como executiva, postulando novas responsabilidades com a ampliação da empresa. Desde que isso não aconteça em reação ao medo de se tornar "mulherzinha". Também pode se permitir a coragem de assumir, mesmo diante dos ditames de expectativas sociais contemporâneas, uma vida com mais tempo para pequenos prazeres cotidianos. Ou, ainda, uma articulação entre os dois personagens, numa equalização que cabe apenas a ela, livre dos rótulos agora identificados como desnecessários.

Desconectamo-nos mais uma vez, para nos reencontrarmos na semana seguinte. Pela tela ou pessoalmente, nossa cumplicidade e confiança mútua permanecem garantidoras de uma viagem a dois pelo universo de nossos personagens e seus textos reveladores.

14. Os super-heróis

TODA GENERALIZAÇÃO FEITA NA tentativa de mapear a conduta humana corre o risco de rotular indivíduos que apresentam singularidades. No entanto, observamos que certos traços podem se apresentar mais fortemente em algumas sociedades que em outras. Isso porque o tempo histórico onde estão ou estiveram inseridas é fator relevante. Como exemplo, sabemos que a histeria era um sintoma de certa frequência ao menos nos círculos vienenses do final do século XVIII e início do XIX, acontecimento que foi um dos estimuladores dos estudos iniciais da psicanálise. Também não é inusitada a relação que se faz entre aquelas manifestações emocionais e físicas e a repressão sexual característica da época. Desejos reprimidos reaparecem nas brechas que encontram.

A sociedade contemporânea, por sua vez, notadamente apresenta ansiedade e depressão como indícios de competição exacerbada, aceleração em diversos sentidos, excesso de estímulos, entre outros (Contro, 2004). A expansão desenfreada do capitalismo não só oferece um modelo econômico; muito mais que isso, esse neoliberalismo engendra formas de sofrimento. O aumento exponencial da pressão estressa o corpo, sufoca a respiração e frustra frequentemente os seres pela impossibilidade de atingirem as metas idealizadas de consumo e *status*.

Se nas sessões anteriores identificamos mulheres permeadas pela culpa, temos a seguir uma situação representativa de homens que, há muito tempo na história da humanidade, são vestidos e se vestem de super-heróis, de modo que, ainda que não tenham semelhante sentimento de culpa, veem-se impotentes. Herança dos tempos em que a força era determinante para a caça, tais predominância e ascendência muitas vezes ainda estão presentes, seja por expectativa social arcaica, seja por machismo. Ao mesmo tempo, ainda na perspectiva de que toda generalização de peculiaridades da vida humana apresenta fissuras, não há como desconsiderar que o mundo está habitado por mulheres que são o esteio de muitas famílias, as "mulheres-maravilhas".

Nietzsche foi adversário atroz da culpa. Postulava que, desde Platão, passamos a ver o mundo de forma dicotômica. Uma dessas dualidades seria o estabelecimento de um mundo outro onde estaria a perfeição, contrapondo-se ao mundo terreno com seus malefícios e pecados. A essa idealização nosso autor denominou "ideal ascético" (Nietzsche, 2009, p. 102). Sua ideia de "para além do homem" diz respeito àquele que supera a ilusão do mundo do além: não é a eternidade que vai dar valor à vida na Terra.

As religiões judaico-cristãs, estabelecidas posteriormente, seriam então uma espécie de platonismo para o povo. Esse processo teria originado muitos de nossos sentimentos de culpa, uma vez que nos foram incutidas mensagens doutrinadoras de que nossas imperfeições mereciam punição, arrependimento, deixando-nos em dívida. A crítica de Nietzsche vai de encontro às instituições da religiosidade opressora criada pelos homens. Questiona esses valores, mas não usa somente o martelo para desconstruir. Lança sementes de revalorização dessa vida como ela é, com suas dores e delícias, imperfeições naturais de um ser humano sempre por se fazer, sempre se desafiando a ir além. Refutando o endosso às idealizações, e consequentemente aos super-heróis, um de seus livros tem o título *Crepúsculo dos ídolos*.

Pessoa, não sei se influenciado ou não por Nietzsche, também tece críticas a Platão, ao cristianismo e à moral que deles decorre:

> O Cristianismo, historicamente considerado, é um produto complexo. A sua essência, ou parte metafísica, é grega, é platónica; e com razão se pode dizer que foi Platão o vero fundador do Cristianismo. [...] A essência prática do Cristianismo está no conceito de que o indivíduo humano – alma imortal criada por Deus e remível por seu Filho da condição pecaminosa em que a queda a lançara – tem em si mesmo, como tal, um valor superior maior que o de todos os poderes e pompas da terra, porque é um valor de outra ordem. Deste conceito se deriva estoutro – que o indivíduo moral é distinto do indivíduo político, e a ele superior. [...] E as consequências últimas do conceito primário são estas: o critério moral é absoluto [...]. Ainda onde desapareceu o Cristianismo subsiste a moral que ele criou. (AP, 3160)

Também em poemas pessoanos, de modos diversos, evidencia-se posicionamento similar ao de Nietzsche. Álvaro de Campos, como já dito, é um heterônimo marcado pela intensidade dos sentimentos e pelo mergulho que faz em si mesmo. Nesse movimento de interiorização, demonstra o desejo de abarcar o mundo, mas reconhece que o que conseguiu foi esfacelar-se em muitos (Contro, 2018b). Revela, portanto, o reconhecimento das limitações humanas, consciência que mina nossa pretensão a superpoderes.

Aquele que é considerado pelo próprio autor como o mestre de seus outros principais heterônimos, Alberto Caeiro, é um pastor de ovelhas que vive apenas o presente e nega a existência da metafísica. Em seu bonito conjunto de poemas *O guardador de rebanhos* (Pessoa, 1975), apresenta seu Jesus como menino, como humano. Retomaremos esses poemas e esse seu significado mais adiante.

Observações feitas, vejamos um pouco da história de Júlio.

Ele não se enquadra no estereótipo do homem machista. Dócil, sensível e respeitoso, vestiu a capa de super-herói devido à rigidez paterna. Desde cedo teve de provar ser capaz de dar conta sozinho não só dos estudos mas de qualquer atividade ou responsabilidade com a qual se envolvesse. Assim foi nos esportes, onde se destacou inclusive como capitão dos times em que atuava. Frequentou universidade pública de ponta, sempre com ótimas notas. Formado, tornou-se um profissional de destaque, com sucesso na carreira ao ocupar cargos importantes em grandes empresas.

Como vemos, muitos são os superlativos que expressam a trajetória de Júlio. Tantos, que desenvolveram nele a noção de que poderia dar conta de qualquer situação. Bastaria apenas que se empenhasse. Eis uma das formas de semearmos super-heróis com superpoderes. A exigência paternal extremada, que nunca reconhecia as conquistas do filho como algo além de pura obrigação, cumpriu seu papel. Somam-se a isso as conquistas obtidas por Júlio, que, se por um lado foram positivas, por outro serviram para reforçar a imagem de infalibilidade, termo usado por ele mesmo.

Acontece que nas relações profissionais, principalmente quando há certa ascendência sobre os pares, administra-se, gesta-se, ou seja, exerce-se um poder de intervenção e determinação elástico. Nas relações afetivas, familiares ou de amizade, em que a simetria costuma ser maior, o outro com quem nos vinculamos traz variáveis que não podemos controlar. Daí a maior dificuldade de nosso protagonista nesses campos.

As agruras de Júlio se potencializaram quando a intensidade dos fatores que não podem ser comandados tomou proporções exponenciais. Num lance profissional mais ousado, embora sempre calculado em função da experiência adquirida, abrira a própria empresa. Transcorreram dez anos de sucesso e perspectiva de grande crescimento num setor promissor. O país era atravessado por júbilo econômico. Cenário mapeado e propício à obtenção de empréstimos para ampliar a estrutura e dar conta do salto a se fazer. Concessões que não vieram em função da crise financeira que se seguiu. E, na falta do que parecia garantido, não é possível honrar compromissos assumidos. Dívidas.

Treinado para resolver problemas e crente de que dependeria, mais uma vez, de seu único e exclusivo esforço para dar a reviravolta, Júlio extrapolou seus limites mentais e físicos nessa tentativa, entrando num intenso processo de estresse. Pode ter sido esse um dos fatores, dentre outros que também fogem ao controle, que contribuíram para desencadear uma rara doença neurológica degenerativa. Nesse estado, a falência foi inevitável.

O personagem super-herói de nosso protagonista precisa ser reavaliado. Essa é uma das faces significativas de nossa luta conjunta. Sua manutenção nos moldes de como foi construído é o que lhe traz culpas: por não ter previsto melhor determinados acontecimentos na vida pessoal e profissional, por não ter tomado decisões que poderiam evitar determinados fatos, por tentar ultrapassar sua condição humana e muitos outros porquês.

Fazer todas essas apreciações agora, no entanto, depois que os fatos já aconteceram, serve apenas como aprendizado, pois não há como intervir no passado, não há como resgatar o tempo cronológico. Mesmo assim, ainda reverbera o senso de infalibilidade.

Na impotência desse momento, reduzir os danos causados pela culpa não deixa de ser um meio de valorizar não o super-herói, mas o humano guerreiro que Júlio demonstra ser ao enfrentar todos os limites que a vida tem lhe imposto. Trata-se de, navegando pelo tempo que se dá no registro das intensidades, dos significados, como diriam Proust e Nietzsche, transformar o personagem incorporado e ficar com o que dele tem sido fonte de forças necessárias: nesta época em que muitas vezes o sucesso como finalidade justifica meios escusos, nosso protagonista tem demonstrado a dignidade dos grandes lutadores.

Mais adiante, no Capítulo 16 – “Personagens que representam um grupo” –, Júlio mais uma vez se fará presente. Em determinados trabalhos que tenho feito, comentar sobre sua trajetória, com sua anuência, tem sido de grande valia para ajudar algumas pessoas a se aproximarem do *amor fati*, mesmo quando os fatos insistem em testar nossa capacidade de reagir.

15. Personagens herdados

Os personagens também podem ser herdados. Como representantes de experiências vividas ou resultantes simbólicos momentâneos do fluxo de forças que transitam por uma cultura, comunidade ou pequeno grupo, podem ser retransmitidos muitas vezes por gerações.

Dentre as fontes geradoras de personagens estão as instituições. Compreendo-as aqui na amplitude que vai desde o casamento e os ambientes de trabalho e convivência até uma complexa rede de relações, como o sistema político, que têm em comum dinâmicas relacionais produtoras de discursos, normas, valores, poderes, verdades que imprimem suas marcas no tecido social.

Numa visão nietzschiana, as instituições produzem juízos de valor que, quando continuamente replicados, são introjetados a ponto de se tornar memórias corporais. Assim, não é mais necessário o contínuo estímulo do agente externo, eles agora se movem espontaneamente pelos corpos (Ribeiro, 2011). No campo social, veste-se o animal homem com determinadas faculdades morais e novos instintos. Esse "traje interior do homem" seria seu "mundo interior". Mais ainda, seria aquele "algo no corpo" a que se denomina alma.

Esse ato de vestir o homem pelas instituições, criando-lhe uma "segunda natureza", também é explorado por Pessoa. Nos escritos onde se posiciona sobre a sociedade – no caso, sobre as religiões –, a figura do homem como animal vestido sobressai. Mas, até mesmo Bernardo Soares, semi-heterônimo já citado e conhecido como principal autor do *Livro do desassossego*, de páginas bastante intimistas, traz o tema tomando as novas vestes da alma por "máscaras": "Os que creem na religião passam a pô-la como máscara de que se esquecem" (Ribeiro, 2011, p. 79).

Vestes da alma como máscaras que surgem do que Pessoa vai denominar "instintos sociais" (AP, 2908). As instituições, o campo social ou o corpo político, segundo Pessoa, ofertam aos sujeitos sentidos, ações, hábitos (AP, 2831). Surgem, então, os instintos sociais, que vestirão os seres humanos com sua segunda natureza, as máscaras, ou os novos instintos, no dizer de Nietzsche.

Podemos complementar que cobrir o homem com novas roupagens, com determinado estilo, com modos específicos de viver e se relacionar seria caracterizá-lo por meio de personagens. No caso, de personagens tão arraigados que a vestimenta se confunde com a própria pele. E é com essa intensidade que podem ser reproduzidos e herdados.

Na psicoterapia, a instituição família é um desses contextos que facilitam a identificação e a pesquisa de tal herança, uma vez que a busca das matrizes familiares dos conflitos que nos são trazidos é inerente ao processo. Os dramas não se originam exclusivamente em tais agrupamentos, mas estes, além de ter caráter gregário, configuram-se como fontes importantes de neurose e sofrimento.

Vejamos então como Heitor, durante anos, carregou um personagem do qual era herdeiro sem o saber.

A mãe foi quem procurou psicoterapia para o filho, apesar de ele estar com 25 anos. Veio junto na primeira sessão, ansiosa, e foi quem falou, dando dados e contando um pouco do que estava acontecendo.

Heitor, ao longo dessa sessão e de algumas posteriores, nas quais veio só, quase não conversava. Estava depressivo, não conseguia ir ao trabalho, não tinha motivação para se relacionar com quem quer que fosse. Quase a fórceps, pude vislumbrar algumas poucas tintas de seu quadro: postura corporal arqueada, desvitalizada; trabalhava na empresa familiar; filho mais velho; embora houvesse afeto na relação com a figura paterna, não havia intimidade. Um tanto mais com a mãe. E isso foi quase tudo.

Dada a limitada troca que passou a se reproduzir também em nosso vínculo, sugeri que fizéssemos algumas sessões em família, na intenção de obter novas informações para que eu pudesse ajudá-lo. Heitor recusou. Não queria se expor ao compartilhar suas fragilidades: "Não posso falhar". Apesar da negativa, surge esse elemento significativo a ser mais bem pesquisado.

Algumas sessões adiante, ele trouxe certa tensão desencadeada na relação com a mãe. Como não estava conseguindo dialogar com ela, mas ela já estivera em nosso primeiro encontro e se colocara à disposição para ajudar no que fosse, perguntei sobre a possibilidade de virem os dois no próximo. Agora já numa vinculação de maior cumplicidade e confiança comigo, ele concordou.

Na sessão com os dois, é mencionada a preocupação do pai e sua disponibilidade para comparecer. Isso provoca em Heitor uma sensação de acolhimento e novo aceite, incluindo seu irmão e sua irmã. Agora estamos no tempo mais amadurecido para sessões familiares. Por si só, esse fato sinaliza avanço terapêutico, pois quem demonstrava medo de expor suas fragilidades está agora mais aberto e um tanto confiante.

Em nossa primeira sessão em conjunto, peço que cada um pense e externalize uma imagem representativa de como vê a família, pois tenho pouquíssimas peças para a montagem do quebra-cabeça. Elas não tardam em aparecer e os remetem a lembranças, constatações e sentimentos. Mostram-se emocionados ao relatar que Heitor e o irmão mais novo há pouco tempo haviam sofrido uma tentativa de sequestro. Heitor é quem conduzia o carro e, com manobras rápidas, conseguiu evitar o pior. Certa apreensão ainda se faz presente.

Nosso protagonista permanece quase calado, respondendo monossilabicamente apenas quando requisitado. Mas irmã, irmão e mãe, principalmente, desenham um quadro: não se cuida do lazer na família; questões da empresa familiar, onde estão todos envolvidos, invadem qualquer ambiente; um dos filhos se lembra do comentário de espanto de um conhecido ao observar que o carro do pai estava até de domingo na empresa; o casal não despende tempo para si; o pai começara a trabalhar muito cedo, e Heitor também...

Meu foco de atenção principal está em Heitor, mas sei, pela compreensão teórica que me subsidia, que seu sofrimento, ao menos em boa parte, é sintoma representativo de desarticulações nos vínculos dessa família. Fico atento aos laços entre ele e o pai, talvez pela reprodução que se insinua no desenvolvimento de uma responsabilidade precoce que muitas vezes cobra seu preço. Começamos a alternar os encontros: alguns apenas com ele e outros com a família.

Nas sessões individuais, Heitor, ainda depressivo, continuava sem se abrir. Nas que ocorriam próximas do final de semana, ele se apresentava melhor, mais disposto. Ia se tornando evidente que seu sofrimento se referia ao papel profissional. Nas sessões de família, passei a esperar momento mais apropriado para buscar algum tipo de mandato, de algo que estava instituído, com origem no pai.

Em nosso segundo encontro com a família, os homens se atrasaram devido ao trabalho na empresa. A vida profissional invadia a vida privada, que ficava num segundo plano, o que já havia aparecido na primeira sessão familiar.

Terceira sessão com todos os membros e chegam juntos, inclusive com antecedência. Peço que contem a história do pai. Tinha ele a incumbência da continuidade do nome de sua família, desde a infância. Filho homem e mais velho de uma linhagem de italianos que possuíam um pequeno comércio, mas haviam perdido tudo e se mudado para a cidade onde residem. O pai demonstra frustração quando afirma que, se tivesse ao menos 18 anos à época, não teria deixado aquilo acontecer. Tinha 14.

Na nova cidade, como era costume, foram morar juntos ou próximos. Anos depois, o pai de Heitor se casou. O primeiro filho do casal é muito esperado por todos. A torcida é por um homem, para dar, mais uma vez, continuidade aos negócios e, implicitamente, à sobrevivência da família. No instante dessas revelações, as emoções do pai eclodem, o que provoca reações em cadeia: "Agora fica mais fácil compreender algumas atitudes dele", dizem os filhos.

Evidencia-se como a história de nosso protagonista reproduzia a de seu genitor. Heitor começou aos 14 anos também. Ainda menor, ia todo sábado ao trabalho do pai, levado por ele. Afetividade, admiração e identificação ganharam corpo ali, pelo papel profissional. As instituições família e trabalho estavam gerando valores, determinando um personagem. Quando Heitor cresce e assume maiores encargos e poder de decisão na empresa, eles tornam-se um peso: "Será que é isso mesmo que eu quero?"

Construímos esta imagem para representar esse processo: o bonde veio pelos trilhos da saga familiar com uma história já em andamento em seu interior e, ao mesmo tempo, com a expectativa de um personagem que embarcaria na próxima estação para dar continuidade ao mesmo enredo. Quando parou, o ator Heitor subiu, incorporou o personagem e assumiu o posto que a ele foram destinados. Seu papel era a manutenção de um personagem com muita responsabilidade, permeado por seriedade excessiva.

Assim, a crise depressiva de Heitor, nesse momento das trajetórias familiar e individual, era uma espécie de "fechamento para balanço" na tentativa de se permitir escolher se desejava ser herdeiro, mais do que da empresa, do peso de ser o guardião simbólico do nome da família. Uma vez que havia sido solicitado desde pequeno, ou melhor, ainda no útero, precisava agora avaliar por si mesmo com voz ativa.

Heitor afirma o desejo de continuar na empresa, mas não sozinho. Quer os irmãos ao seu lado, sem diferenciações hierárquicas.

E maior liberdade para que possam contratar alguém do mercado, caso necessitem.

Seu posicionamento na rede familiar estava atualizado. Creio que esse fato central, associado a outros que exploramos no processo e somado à medicação que cumpriu seu papel para que Heitor pudesse se reequilibrar fisiologicamente, foi ingrediente importante para que ele, meses depois, pudesse retomar o curso de sua vida sem o peso da herança de um personagem indesejado, nos moldes em que fora oferecido. Houve ainda algumas recaídas posteriores, mas de intensidade menor. Agora tínhamos um adulto que, ao embarcar nas suas viagens, escolhia as próprias roupas. Não mais a simples reprodução e repetição de um personagem, mas a criação de outro.

> Tento reconstruir na minha imaginação
> Quem eu era e como era quando por aqui passava
> Há vinte anos...
> Não me lembro, não me posso lembrar.
> O outro que aqui passava então,
> Se existisse hoje, talvez se lembrasse...
> Há tanta personagem de romance que conheço melhor por dentro
> Do que esse eu-mesmo que há vinte anos passava aqui! (AP, 60)

16. Personagens que representam um grupo

O LEITOR AGORA ME acompanhará em cinco histórias que emergiram de grupos com diferentes pessoas em lugares distintos: nas regiões Nordeste, Sudeste e Sul do Brasil e em Lisboa, Portugal. Em comum, o fato de serem agrupamentos formados espontaneamente para estudo e aprimoramento, variando o número de seus integrantes entre quatro e 15, com predominância de mulheres – com exceção de um componente homem em Lisboa – e em sua maioria psicólogas. Não sendo o objetivo deste livro fazer uma análise mais acurada sobre essa quase hegemonia feminina, apenas esboço essa questão.

Como dito até aqui, transitar pelos universos de Nietzsche e Pessoa, bem como pela área de intersecção entre eles, tem iluminado o palco onde posso assistir aos múltiplos personagens que constituem uma única pessoa ou um grupo e interagir com eles. Como sabemos, o tablado de nossa contemporaneidade tem sido suporte para um cenário constituído, entre outras singularidades, por esta: por terem desenvolvido um papel profissional sem poder abdicar de ser donas de casa e mães, muitas mulheres passaram a ter jornada dupla ou tripla, ao menos por alguns anos de sua vida. Se aumentamos o número de papéis que desempenhamos, inevitavelmente se amplia nosso rol de personagens, pois, como vimos, um papel pode conter muitos personagens. Em decorrência natural do aumento de papéis e personagens, o tempo e o espaço onde atuam e transitam se restringem. A competição para que um ou outro possa ter vez e voz aumenta.

Essa concorrência se dá em função de diversos critérios, entre eles o da legítima necessidade. No exemplo mais comum, o papel de profissional inevitavelmente compete com o de mãe. Daí também podermos supor que, se há maiores conflitos na atualidade em relação aos papéis e personagens, a busca de ajuda ou de aprimoramento também é mais significativa. Isso se soma ao já conhecido aspecto de que, tradicionalmente, mulheres demonstram tendência maior para as áreas da psicologia e educação, entre outros fatores por estarem culturalmente mais associadas ao papel de cuidadoras que os homens.

Especificamente no que diz respeito a esses encontros, quando lançamos mão do trabalho grupal, em suas diversas modalidades, a criação de personagens pode ganhar uma peculiaridade interessante. Dependendo da forma como conduzimos o encontro, podemos chegar a uma figura que seja representativa da resultante momentânea do fluxo de forças que naquele instante atravessa a rede de relações ali constituída. Assim, ao explorar conjuntamente os meandros da história que esse assim denominado personagem protagônico vai edificando, contribuímos para que se ampliem as perspectivas de apropriação do tema, do conflito ou de uma emoção com que aquelas pessoas se identificaram e que optaram por pesquisar.

Consequentemente, ao final de cada encontro cuidamos para que houvesse a etapa do *compartilhar*, por meio da qual o grupo pudesse se manifestar dividindo emoções e reflexões que reverberaram em função dos frutos da pesquisa. Optei por não descrever todo esse material, uma vez que a descrição dos enredos construídos pelos personagens protagônicos me parece dar conta do que aqui nos interessa.

Antes que essas próximas histórias contem por si, cabe ainda informar que nas quatro primeiras me utilizei do mesmo procedimento: conduzi o trabalho de forma muito semelhante em suas fases iniciais, visando preparar o grupo para que pudéssemos explorar os personagens que nos constituem. O desenrolar em cada agrupamento, obviamente, se deu de maneira peculiar, mas mesmo assim, como verá o leitor, trouxe alguns elementos semelhantes como o que acabei de ressaltar na tentativa de compreensão sobre a prevalência de mulheres. Uma quinta história trará suas peculiaridades. Vamos a elas.

Em um dos trabalhos, uma vez criadas as condições para que fosse eleito um personagem que representasse todo o grupo naquele momento, ou escolhida uma sensação ou sentimento que posteriormente se transformaria num personagem, chegamos à emoção e à disponibilidade de Dora de se doar como porta-voz do grupo e de si mesma.

A cena se dá entre ela e o filho de 7 anos, que procrastina a lição pedida pela escola. Dora percebe-se muito irritada consigo mesma e, simultaneamente, sente-se culpada por estar indócil com ele.

Observo com você, leitor, que, quando alguém expõe uma emoção representativa de seu sofrimento, é grande a probabilidade de que já tenha se questionado sobre as razões de seus conflitos. A dor sempre inquieta. Quem sofre, ao não obter respostas, busca ajuda. Esse é um preceito básico e fundamental para que o profissional que acolhe essa pessoa lance mão dos recursos de que dispõe para, juntos, trilharem caminhos ainda inexplorados. Se nossos papéis fossem outros, o de dois amigos conversando num bar, por exemplo, talvez eu pudesse comentar com Dora que ela precisava ter mais paciência ou algo do tipo. No contexto e nos propósitos da psicoterapia ou de uma vivência terapêutica como essa, no entanto, a pesquisa e o aprofundamento na questão trazida dão o tom.

Dentre os instrumentos que elencamos nas páginas iniciais deste livro, escolho pesquisarmos algumas possíveis matrizes que possam mapear situações vividas por Dora e que estariam potencializando sua irritação com o filho nessa situação. As sensações e os sentimentos de Dora percorrem sua memória emocional e encontramos no vínculo com sua mãe cena similar.

Uma mulher rígida, intransigente, pressionando Dora para que não se distraísse ao fazer a lição da escola. Ao desempenhar o mesmo papel de mãe, Dora tem reproduzido a personagem irritada com a diferença de ritmo entre a criança e o adulto. Impaciência que, caso estivéssemos num processo de psicoterapia, poderíamos destrinchar melhor em seus motivos e, com isso, ampliar nosso conhecimento sobre as cristalizações dessa reação geradora de tensão que se repete de uma geração a outra. Não era o caso, pois não se tratava de um encadeamento de sessões, mas de um ato apenas.

A reprodução dessa personagem que nada contribui para a função de mãe diferencia-se um pouco da herança que vimos na história de Heitor. Embora a repetição seja comum a ambos, são casos distintos: Dora reitera um modelo naturalmente aprendido e incorporado, daí sua aflição consigo mesma, enquanto Heitor, além de reproduzir o protótipo do pai, somava a ele o ingrediente de que também sua "segunda natureza" fora previamente desenhada por expectativas familiares fruto de necessidades. A complexidade da teia onde Heitor se enredara era maior – ou talvez assim me parecesse porque pude me aprofundar no seu caso, tendo em vista que vivenciamos um encadeamento de quase dois anos de sessões semanais.

Mas, apesar do contramodelo da mãe, Dora tinha alternativa por intermédio de outro personagem de sua vida real. Em cenas com o avô, pôde ter outro parâmetro. Uma de suas lembranças de acolhimento é que ele a buscava na escola sem pressa, esperando-a brincar no parquinho antes de irem embora. Essa é a referência agora desejada, pintada com cores mais leves e harmônicas. Como personagem de outras roupagens, o avô passa a ser buscado para compor o papel materno de Dora em seu cotidiano.

Nesse trabalho, Dora desempenhou o personagem protagônico mãe e, na concretude do dia a dia, exerce o papel de mãe com o filho. Representou-nos reforçando a alternativa de que vale a pena checarmos e avaliarmos aspectos de nossos padrões quando não nos servem mais, em qualquer papel que seja. Para além da repetição acrítica, essa história também sinaliza que pode haver outros personagens com os quais podemos nos identificar quando nos permitimos rever nossa trajetória, recriando-nos.

Mas e quando eles não existem? Faz-se primordial criar enredos e personagens próprios. É o que veremos na história de Fábia.

Noutro grupo, a integrante Fábia emerge como representante. Dentre as citações de Nietzsche e Pessoa que apresentei ao grupo – tendo feito o mesmo nos quatro primeiros trabalhos deste capítulo –, ela se sentiu fisgada pela afirmação pessoana "Sentir é estar distraído", última frase de um belo poema do heterônimo Alberto Caeiro (Pessoa, 1975, p. 111). Ao escolher essa passagem, vejamos com o que o inconsciente já estava lhe acenando sem que ela se desse conta.

Nossa protagonista transitou por diversos personagens que povoaram sua história real e, de certa forma, ainda se fazem presentes. O primeiro deles, uma criança tímida que tinha dificuldade de se expor e de acreditar no seu potencial. Pesquisando outros personagens que pudessem fazer parte desse enredo de acanhamento e descrédito em si mesma, chegamos a três.

Um ditador que sempre sabe "o jeito certo de fazer as coisas" e que a acusa de não estar à altura dos desafios. É categórico em afirmar que "os outros é que sabem fazer as coisas de forma eficaz". Essa espécie de regra estabelecida, de norma internalizada, leva-a a sempre focar no desempenho de alguém externo e a desqualificar as próprias habilidades. Sua criança sente-se insegura quando escuta essas palavras de ordem. Aos poucos se aproxima outra figura que releva suas limitações e "propõe a segurança da não ação, de simplesmente desistir do desafio em prol da paz e do sossego da inércia. É um colo gostoso e quentinho que me abraça e cuida".

De um lado, um ditador implacável que não admite erro. De outro, um colo acolhedor "ao preço de minha submissão e impotência". Surge, então, um terceiro que a arranca do colo protetor e a joga para a ação: "Esse personagem representa a vida e todas as suas nuanças de urgência e necessidades imediatas. Me dou conta de que nesses momentos realizo muito porque não tenho tempo para pensar".

Enquanto estamos nessa pesquisa pelos meandros do imaginário, Fábia faz espontaneamente uma transposição para sua vida real. Percebe que os personagens que se opõem representam elementos de sua dinâmica familiar: "Pai exigente e mãe superprotetora". O terceiro condensa uma gama de outros, presentes em momentos desafiadores na sua história de vida, pessoas de iniciativa, inspiradoras, algumas que até mesmo se tornaram agentes de suas transformações e mudanças de atitude. Mas nota: "Com elas, no entanto, peguei carona muitas vezes, à custa de renunciar ao protagonismo da minha vida e me tornar coadjuvante na história do outro".

Quando utilizamos o recurso da interação cênica entre esses personagens, os passos tímidos e inseguros de Fábia se evidenciaram, ao mesmo tempo que sua obstinação pela perfeição. Dedicação extrema ao planejamento de suas ações e forma de estar no mundo, numa necessidade contínua de confirmação, aceitação e pertencimento, remetendo a um estado adolescente de busca de identidade – "Quem sou eu?", pergunta cuja resposta viria do outro.

Nesse momento surgem outros personagens. "Latifundiários donos dos espaços de expressão". Fábia vai ficando à margem, "sem lugar". Mas o não lugar, o vazio, o nada, o niilismo quando encarado, diria Nietzsche, a faz ver que há um terreno não pertencente a ninguém, onde pode plantar uma semente. Tomada por forte emoção, diz: "Eu me torno esta semente que germina. Estou cansada de tentar pertencer e não posso voltar para trás. Enquanto germino, visualizo a árvore que serei: raízes profundas e cheias de seiva. O caule forte e bem estruturado, galhos delgados, fortes e flexíveis. Folhas verdes, frutos e flores vistosos.

Como árvore me sinto aquecida pelo sol, o vento balança meus galhos, a seiva percorre todo o meu ser. Pássaros que pousam em meus galhos também são parte de mim e me conectam com outras realidades, com outras formas de ver o mundo, me dão asas, além da terra na qual estou plantada. Posso ir e vir. Encontrei meu lugar".

Chegamos a esse novo vislumbre depois de duas horas de intenso trabalho. Obviamente, aqui temos um relato conciso. Passado, presente e futuro, no cíclico tempo regido pela intensidade das experiências, se fizeram por instantes um só.

Tive oportunidade de receber de Fábia uma descrição posterior dessa vivência. Alguns trechos: "Foi muito transformadora para mim. No tempo que se seguiu ao nosso encontro, fui encontrando coragem para retomar e propor projetos pessoais que havia muito estavam nas minhas 'gavetas'. Fui me dando conta de que podia fazer sem caronas, sem confirmações, e a cada passo fui me sentindo mais fortalecida e capaz. Com a vivência, os personagens internos 'boicotadores' ficaram mais perceptíveis e, portanto, perderam o poder sobre mim ou sobre meu impulso de agir. Consegui perceber a dinâmica da minha vida emocional e entender muito do meu comportamento desde a infância [...] até os dias atuais. E percebo também que foi um rompimento com uma lógica afetiva de conduta desqualificadora e limitante. A cada dia sinto minha árvore mais forte e segura, as asas dos meus pássaros estão maiores também. É muito reconfortador ter essas imagens para me orientar, elas se tornaram um recurso eficaz de ação no mundo".

Nessa sua escrita final, uma confirmação do que foi dito no início do livro, de que personagens e enredos criados podem ser levados para além do espaço onde foram gerados, servindo como protótipos, como complementações ou como tudo aquilo que possam representar para alguém. Acompanhando-nos, como se fossem lembretes, balizam-nos, desempenhando função importante, quase didática.

Retomando o possível aceno que o inconsciente lhe teria feito ao se sentir atraída intuitivamente pela frase "Sentir é estar distraído", podemos pensar que Fábia se viu fisgada pela expressão porque ela ecoa parte de sua dinâmica relacional desenvolvida e que precisava de reavaliação. Em suas palavras, a frase "certamente se conectou à defesa que usei em boa parte da minha vida e que me retirava do ambiente, da ação para o conforto da minha mente planejadora, na qual sempre havia a possibilidade de realizar tudo à minha maneira e evitar o fracasso". Na sua história de vida, distrair-se, portanto, era esconder-se na imaginação como fuga da realidade por temer derrotas.

Paradoxalmente, foi em grande parte por causa de seu "estado de distração" que ela se sentiu cooptada pelo trecho de Pessoa. Mas o que significa "estar distraído" nesse caso? Se "sentir é estar distraído", logicamente estar distraído não se resume a sentir, mas também é isso. Quando se está distraído, sente-se. Noutros termos, é possível, distraído, perceber algumas coisas das quais, quando estamos com nosso sistema de controle muito ativo, não nos damos conta.

Esse é um significado para o qual nos chama esse termo de Pessoa e para o qual convergem outros poetas: Paulo Leminski, com seu título *Distraídos venceremos*, Guimarães Rosa, poeta prosador, com sua expressão "Felicidade se acha é em horinhas de descuido" (1967), e até na música "Epitáfio", dos Titãs, "o acaso vai me proteger enquanto eu andar distraído". Noções similares ao que propõe Domenico De Masi com o seu "ócio criativo".

Ao acaso e aos estados de potência, felicidade e criatividade de que nos falam esses autores e artistas podemos agregar impulsos, extrapolação de fronteiras, desejos, êxtase, fluxos de forças incontroláveis, entre outras reverberações, territórios do dionisíaco a que tantas vezes se referiu Nietzsche, seara dos inconscientes individuais, grupais, institucionais e sociais que nos permeiam.

Aproveito para salientar mais uma vez que vivências desse tipo são estruturadas em fases por meio das quais se criam condições propícias para que as pessoas possam se sensibilizar para um tema ou, mais genericamente, para um contato maior consigo mesmas e com as outras, a fim de experimentar rever-se, aprofundar-se. A esses propósitos, as citações de Nietzsche e Pessoa muito servem face à boa provocação de seus pensamentos a contribuir para a etapa inicial do trabalho. A posterior incorporação ou mesmo a simples imagem de partes de nós mesmos que vemos nos personagens produzidos, por sua vez, agrega ainda mais potência ao instrumento.

Em outro grupo, em outro local, emerge Priscila, representante de pessoas que preferem que trabalhemos com a frase nietzschiana "Torna-te aquilo que tu és". Sobre essa expressão e os entendimentos que pode sugerir, discorri mais extensamente noutro escrito (Contro, 2019). Aqui, suscintamente argumento que essa indicação do filósofo não deve ser tomada pelo ângulo de que temos uma essência única e prévia a nos definir e dela não devemos fugir. Afinal, no todo de sua obra, ele apregoa o perspectivismo, como vimos – uma visão pluridimensional do mundo e, consequentemente, de nós mesmos.

Neste outro trecho, endossa tal posicionamento: "*Ver aquilo que é* – isso é próprio de um outro gênero de espíritos, os *antiartísticos*, os factuais" (Nietzsche, 2017, p. 53-4, grifos do original). Se o filósofo se posiciona assim em relação ao nosso olhar para a natureza, a quem estava se referindo, não seria diferente em relação ao homem. Mas não só: outra proposição cara a Nietzsche é a ideia de que o homem está em constante devir, sempre se transformando, obviamente desde que se abra a essa possibilidade. Colocando-se em eterno processo, temos o ser em mutação que não finda.

Em relação a esse último tópico, não desconsidero que trazemos algumas marcas ou formas de ver o mundo que, em seu caráter positivo ou não, estão grudadas em nosso corpo. Por vezes, elas atingem tamanho grau de cristalização que não distinguimos mais entre nós e elas. A inevitável tendência, nesses casos, é de que reproduções e repetições se façam presentes. No entanto, caso nossa capacidade de transformação inexistisse, essas histórias não estariam sendo contadas nestas páginas.

Esse "torna-te aquilo que tu és", portanto, deve ser lido no sentido de que, uma vez que somos constituídos de forças singulares, tenhamos senso crítico e não nos deixemos vestir com roupagens que nos enfileirem em rebanhos destituídos da vitalidade que nos pertence.

Também cabe considerar que no subtítulo de sua autobiografia, *Ecce homo: como alguém se torna o que é*, Nietzsche nos faz uma provocação com a frase que estamos abordando. *Ecce homo* ("Eis o homem", do latim) é a expressão proferida pelo governador e juiz Pôncio Pilatos aos habitantes de Jerusalém ao apresentar Cristo para ser julgado. No sentido de desmentir que aquele seria o filho de Deus, o significado de "Eis o homem" poderia ser dado pelo título de outra obra nietzschiana: *Humano, demasiado humano*.

Tomar Jesus e a si próprio como homem, uma vez que se trata de sua autobiografia, é uma maneira de tecer críticas ao ideal ascético disseminado pelas religiões. O postulado cristão, como se sabe, transfere para outro mundo a possibilidade de nos realizarmos: "Meu reino não é deste mundo".

Depreende-se, portanto, que a inscrição complementar do título de sua autobiografia ("como alguém se torna o que se é" – do poeta grego Píndaro) tem também a acepção de "como alguém se torna terreno", humano, corporal e não metafísico.

Pessoa se mostraria a favor dessas leituras, ao menos na figura de Alberto Caeiro, esse homem do campo que vive no topo de um outeiro e respira num aqui e agora típico do zen budismo. Esse heterônimo também escreveu sobre o Cristo, "Tornado outra vez menino", humano, no seu lindo e já citado poema "Num meio-dia de fim de primavera", de *O guardador de rebanhos* (AP, 1487).

Giacoia (2016), ao tratar do perspectivismo nietzschiano, coloca-o como uma forma de "descentramento" do eu sobre o qual se detém o poeta português: se Bernardo Soares (como vimos, semi-heterônimo de Pessoa) nos diz que "Viver é ser outros" (AP, 299), é necessário "outrar-se", tornar-se outros e não se reduzir a um uno que supostamente seríamos. O ato de externalizar nossos personagens, que defendemos aqui, tem esses propósitos. Criar e vivenciar um outro é despersonalizar-se e ao mesmo tempo reagrupar-se em novo arranjo, em nova resultante de forças, transitar por dicotomias que nos estabelecem e rompê-las, postulando o múltiplo, o para além.

Essa é a perspectiva trágica do homem, originada nos gregos pré-socráticos, anteriores a Platão, que sempre norteou Nietzsche. Pessoa fez bom uso dela, uma vez que foi um poeta dramático. Trágico e dramático, aqui, são concepções que não se inserem no campo do gênero literário (tragédia, drama, comédia, romance), mas na compreensão de que a vida é feita de forças que ora confluem ora divergem, na complexidade que lhe é inerente. Trágico e dramático se manifestam na criação dos muitos personagens que nos habitam.

Melhor seria dizer, então, algo como: "Torna-te naquele em que estás".

Localizações feitas, retornemos a Priscila. Vão aparecendo seus personagens: ela mesma, sonhadora, aos 10 anos; ela, aos 30, engravidando; ela, hoje, aos 40; e um último personagem, seu medo de ousar mais na profissão, de assumir seus sonhos.

Aqui temos uma situação bastante representativa do que foi dito páginas atrás. Em nossa contemporaneidade, com o aumento de repertório de papéis desempenhados pelas mulheres, há uma inevitável competição por espaço entre eles, dentro de cada indivíduo, bem como entre os personagens que os constituem. Consequentemente, se apresentam sentimentos de culpa, sintomas de ansiedade, questionamentos sobre a real capacidade de dar conta de variadas funções.

Nessa situação protagonizada por Priscila, foi importante resgatar a vivacidade da menina e mandar embora o medo para recobrarmos a trajetória inevitavelmente interrompida: o papel de mãe emergira e ofuscara a profissional. Agora, era chegada a hora de retomar o papel profissional, articulando-se com o papel de mãe de outra maneira, mais integrada. Genericamente, mas não menos importante, reavivar seu lado sonhador foi fundamental.

Dora buscou em suas referências internalizadas o personagem do avô. Fábia ocupou um espaço até então pouco conhecido, criando um personagem próprio, "semente que frutifica". Priscila reencontrou um personagem que ela mesma já havia vivenciado com mais força – a menina sonhadora – para injetar doses de potência no papel que também está recriando, o profissional.

Como vemos, a capacidade simbólica e representativa dos personagens é extensa, como também são muitos os atalhos que nos levam até eles. Ao permitir essa constatação, essas histórias confirmam a pluralidade de que somos constituídos, atributo fortemente postulado por Pessoa e Nietzsche.

O percurso trilhado por Priscila, de necessária reaproximação dos desejos e sonhos da infância e adolescência, não é incomum. São fases da vida de onde miramos o futuro, projetamos nosso vir a ser. Mesmo que na maioria das vezes de modo ingênuo, esse vislumbre do que almejamos é temperado por pulsações de vitalidade. No meio do caminho, sempre há mais do que uma pedra fazendo-nos recuar, desviar, desviá-las, implodi-las, miná-las, a custo de revermos nossos sonhos e projeções, quando não protelá-los ou até mesmo abortá-los. Mas, ainda que resulte num abandono de meta, poder rememorar o personagem de si mesmo quando criança ou adolescente, gerador daquele impulso de vontade, é uma maneira de se reconectar com um fluxo de forças promotoras de vida e trazê-lo atualizado para o presente. É a criança ou adolescente iluminando o adulto.

> A criança que fui chora na estrada.
> Deixei-a ali quando vim ser quem sou;
> Mas hoje, vendo que o que sou é nada,
> Quero ir buscar quem fui onde ficou. (AP, 2455)

Em relato posterior, Priscila escreve: "[...] julgo sentir-me mais tranquila, com a certeza de que, independentemente do quanto consigo para já investir profissionalmente, continuarei a 'tornar-me quem sou' a cada dia, sonhadora, pensadora, ao mesmo tempo que cuidadora".

A história a seguir apresenta a personagem Ana. Nesse contexto do qual ela emerge, foi-me pedido que o trabalho priorizasse a compreensão das dinâmicas presentes no interior do próprio grupo, deixando na coxia questões individuais.

Aqui cabe observar que a mirada que me guia em todas as práticas considera as pessoas imbricadas com o meio ao seu redor. Num linguajar nietzschiano, os fluxos de forças sociais permeiam os indivíduos e, simultaneamente, as forças constituintes dos sujeitos se conformam em feixes que, nas suas resultantes, caracterizam o coletivo.

Decorre daí que investigar nesses percursos um acontecimento que pode se mostrar como sintoma ou conflito sobre o qual nos debruçamos faz que joguemos o tempo todo com a ideia de foco e penumbra, uma vez que o fenômeno abraçado denota tanto aspectos singulares quanto representativos de certa universalidade. Opta-se, então, por uma vertente ou outra, sem negar que elas estejam sempre relacionadas. Isso quando a delimitação da pesquisa não se dá justamente na intersecção entre elas.

Depois de jogos de preparação para a atividade, os trechos de Nietzsche e Pessoa são expostos. Após conversar, escolhem o tema "Desassossego criativo", surgido no contexto das frases. A personagem Ana, uma jardineira de 19 anos, é criada pela pessoa que o grupo elegeu para representá-lo. Seu pai, João, por quem nutre gratidão por ter lhe ensinado o ofício, é um homem simples, agricultor e com baixa escolaridade. Veio do interior para a cidade grande e trabalhou duro para sobreviver na profissão. Esse outro personagem também entra em cena. Utilizo aqui novamente o recurso por meio do qual propiciamos uma interação entre personagens no intuito de que o enredo evidencie metaforicamente ingredientes que estamos pesquisando.

Nesse instante da dramatização, portanto, estamos diante de Ana e seu pai. Peço que outro integrante do grupo entre no lugar de nossa personagem protagônica. Eu e a pessoa que a estava desempenhando olhamos a cena de fora. Pergunto a ela qual é a importância de esmiuçarmos esse vínculo. Essa minha intervenção visa buscar o primordial, encurtar caminhos. A nossa atriz, enquanto observa momentaneamente a personagem a quem estava dando voz, percebe que algo não está sendo dito por Ana: ela tem vontade de novos conhecimentos, não quer se limitar a ser jardineira. Há mais do que desejo, há um sonho de ser paisagista.

Constatação feita, a primeira atriz assume novamente a personagem e diz, como Ana, que almeja procurar um mestre no assunto. Entra em cena Pedro. Peço que, diante dele, feche os olhos e repare em suas mãos: ao se perceber esfregando-as uma na outra, numa ação até então involuntária, dá-se conta de que está ansiosa pela importância que tem para ela esse contato com o profissional paisagista.

Desejando mapear ingredientes que estão apenas se esboçando, peço que feche os olhos mais uma vez, busque em sua história de vida pessoal alguma situação semelhante a essa e, após identificá-la, com todos os seus significados – emoções e razões –, enriqueça de conteúdos sua personagem. Não é necessário que nos diga o que lhe aparece de sua trajetória particular, apenas que transfira o material para a personagem e, por meio dela, possa expressá-lo. Assim, garantimos que o foco esteja na personagem criada para externar temáticas prioritariamente grupais, e não na história privada da atriz, mantendo a proposta de trabalhar com a dinâmica do coletivo.[5] O acesso à sua memória afetiva tem, nesse caso, essa peculiaridade.

Ao abrir os olhos, numa transição do universo da atriz para o da personagem, relata que na sua história familiar há como que um mantra: "Tudo que se conquista na vida é com muito esforço e sofrimento". A atriz e a personagem protagônica, simultaneamente, carregam esse peso. Retomando a cena com Pedro, sua grande expectativa em saber se seu sonho seria acolhido pelo mestre foi satisfeita de forma surpreendente: o aceite foi imediato, seguido do comentário elogioso de que ela estava sendo ousada e corajosa. Além disso, convidou-a a participar de um grupo de estudos onde alguns dos integrantes são fixos e outros, flutuantes.

Nesse instante do enredo, interfiro novamente, não apenas na tentativa de alimentar sua continuidade, uma vez que pode ainda nos municiar com outros elementos significativos, mas também para manter a linha da construção coletiva garantidora do nosso foco nos assuntos grupais. A cena com o pai foi de onde partimos para a construção da história, mas essa com o paisagista pode ser aquela onde Ana colocará à prova as realizações que deseja. O que o grupo precisa que a personagem desenvolva, agindo em seu nome? Para saber, melhor inseri-lo indiretamente na dramatização. Sugiro, então, que os outros participantes que estão sentados nos assistindo, como plateia, façam algumas perguntas curtas aos dois personagens. Eles as responderão.

Questionada sobre aonde almejava chegar, Ana responde com uma das frases do poema "Tabacaria", do heterônimo Álvaro de Campos: "Tenho em mim todos os sonhos do mundo". Está se dando conta de que é possível transformar mandados estabelecidos: realizar os objetivos sem que seja necessariamente pela via do sofrimento.

---

5. Esse recurso é descrito também em Contro, 2006.

Pedro, por sua vez, quando inquirido sobre se poderia dar conta dos sonhos de Ana, responde que não será ele o responsável por realizá-los: "Tenho que compartilhar meu conhecimento, todo o resto é com ela". Para explicar os motivos que fizeram que ele, um profissional bem-sucedido, abandonasse seu ofício e se tornasse professor, disse que foi pelo desejo de multiplicar.

A cena entre eles transcorre mais um pouco e, adiante, de novo, peço que a plateia faça sugestões de desenvolvimento dessa história que estamos elaborando conjuntamente. Após as manifestações, nossa atriz as acata e retoma o enredo.

Passam-se 15 anos, e Ana, empurrando o pai numa cadeira de rodas, leva-o para apresentar-lhe uma praça projetada por ela. Lá, uma placa faz homenagem à paisagista. Ele está orgulhoso, e nós, emocionados.

Essa história coletivamente construída, na maior parte do tempo por meio de um representante escolhido para encarnar um personagem que catalisasse as forças presentes no grupo, evidencia algumas possíveis leituras. Sendo uma espécie de sonho que se sonha junto e acordado, podemos tomá-lo por ângulos diferentes e complementares.

Em comum neles todos, Ana é uma metáfora do próprio grupo. Este se caracteriza como um coletivo cujo projeto em comum é reunir-se para aprimoramento: profissionais atuantes (a maior parte da área da psicologia, além de uma psiquiatra) contratam especialistas que passam com eles um final de semana coordenando vivências articuladas com discussões teóricas e técnicas.

Tem havido certo constrangimento pelo fato de alguns não estarem participando dos encontros com tanta frequência, enquanto outros o fazem regularmente. Na cena, o mestre, ao acolher Ana em uma proposta que pressupõe integrantes fixos e flutuantes, indica uma aceitação desses moldes e confirma a flexibilidade do grupo de estudos.

Noutra perspectiva, já que essa foi a vivência inicial no nosso primeiro contato, pois até então eu conhecia apenas uma das organizadoras do grupo, estavam presentes dúvidas sobre se nos aceitaríamos, se teríamos sinergia, se nosso encontro seria fecundo, se eu daria conta do sonho deles. De ambas as partes, havia questões representativas da expectativa quanto ao acolhimento e quanto à capacidade de sermos produtivos.

A cena final, por sua vez, com a placa na praça projetada por Ana e o orgulho do pai pelo fato de ela agora ser uma paisagista renomada, denota um sonho que o grupo acalenta e que é um dos motivos de sua existência: ser reconhecidos como profissionais habilidosos e competentes. Recordemos que a expressão "Desassossego criativo" foi escolhida como tema latente a ser perscrutado.

Além disso, em relato posterior, a pessoa que encarnou a personagem conta que, ao vivenciá-la, e devido ao desenvolvimento do roteiro, passou a localizar a ideia de sonho na categoria do realizável, e não na de simples devaneio. Confessa que até então talvez estivesse com receio de se desiludir, mas que "não sonhar é que é negativo". Houve também a significativa fissura da norma geracional institucionalizada de que toda conquista é sempre penosa. Em termos nietzschianos, fizemos uma breve genealogia da moral escrita na história familiar de nossa atriz e, por meio da personagem Ana, uma nova página foi ao menos rascunhada.

Ainda pelos caminhos do filósofo, assim como no capítulo "Espelho, espelho meu", nossa personagem protagônica saiu de sua condição de Camelo, aquele que carrega valores alheios, e teve postura típica de Leão, com a coragem e a ousadia observadas no comentário do paisagista. Percorrendo esse caminho, pôde atingir um novo estado, o da Criança que carrega o olhar da primeira vez, sem as modulações que passam a nos impingir depois, reverberando a alegria pelas descobertas. De fato, Ana contagiou a todos com seu entusiasmo ao ser aceita num novo universo de conhecimento e com a conquista final.

Essa vibração experimentada ainda merece destaque. Tanto na etapa do compartilhar, feita após o encerramento da dramatização, quanto na reflexão que fizemos no dia seguinte, a respeito do que produzimos nessas cenas, o comentário sobre a espontaneidade da participante/atriz que desempenhou a personagem Ana esteve presente. Ela mesma avaliou ter estado muito à vontade. Mas não só: foi uma "experiência libertadora".

Quanto a isso, cabem dois realces. Como vimos, individual e coletivo se interconectam. Portanto, se nossa atriz transitou com fluidez pela personagem, contribuindo de forma desenvolta para a costura de uma história que mapeou nossas dinâmicas relacionais, foi também porque nós, enquanto grupo, conseguimos criar um clima propício. Mesmo porque, para sentir-se legitimada como representante grupal, é preciso perceber-se efetivamente escolhida. Essa é uma condição necessária e fundamental para ocupar o palco com desembaraço.

Outro aspecto a frisar é que essa espontaneidade está atrelada à ideia nietzschiana de vontade de potência: a atuação, ao ser espontânea, denota tal vontade. Vejamos suscintamente como essas duas concepções dialogam.[6] "Espontaneidade" vem do latim *sponte*, que se traduz por "de livre vontade". Ou seja, a noção de vontade é comum à postulação de vontade de potência. Tanto o criador do psicodrama, J L. Moreno (1889-1874), que muito pesquisou sobre a espontaneidade, quanto Nietzsche tentaram decodificar essa espécie de energia que constatavam mover o homem. De acordo com Moreno (1993, p. 101):

> Deve existir um fator com que a natureza generosamente dotou o recém-chegado [...] que o habilita a superar-se a si mesmo, a entrar em novas situações como se carregasse o organismo, estimulando e excitando todos os seus órgãos para modificar suas estruturas a fim de que possam enfrentar as suas novas responsabilidades. A esse fator aplicamos o termo espontaneidade.

---

6. Desenvolvi uma análise mais aprofundada dessa articulação em Contro, 2018a.

Mais adiante, na mesma obra citada, Moreno discorre sobre espontaneidade tomando-a por "vontade de criar". Nietzsche, por sua vez, tentou captar o sujeito (sempre percebido como múltiplo e em constante devir) como impulsionado pela força da vontade de poder ou vontade de potência. Segundo ele, tudo na natureza, incluindo o homem como animal, tende a multiplicar-se, expandir-se. Especificamente no humano, pulsa um estado de constante suplantação de si mesmo que pode levá-lo para além dos valores estabelecidos, "para além do homem" (Nietzsche, 2014, p. 17). Portanto, podemos entender vontade de criação e vontade de poder como perspectivas de um mesmo fenômeno. Essa "vontade" nietzschiana é concebida como um fluxo de forças vitais que nos constituem, podendo estar associada a instinto, aos impulsos, ao dionisíaco exposto nas páginas iniciais deste livro.

Ambos os autores constatam que nossas forças naturais e vitais, quando sofrem o embate das forças provenientes do social, resultam em consequências que são dignas de muitas reflexões. O instinto é um dos ingredientes da espontaneidade, no entanto ele não a contempla por completo. Componentes apolíneos lhe são complementares. Esta observação de Moreno (*apud* Fox, 2002, p. 86) nos esclarece:

> Pensa-se, equivocadamente, que a espontaneidade está mais estreitamente ligada à emoção e ao movimento do que ao pensamento e ao repouso. [...] a espontaneidade pode estar presente em uma pessoa quando ela está pensando, da mesma forma que quando ela está sentindo, quando está em descanso tanto quanto em ação.

Assim, a vontade de potência associa-se ao instinto dionisíaco, ao desejo, a uma disponibilidade, disputa, luta por poder, por sobrevivência, por expansão na direção do "para além do homem".

A ação espontânea, por sua vez, além de se dirigir para a abertura de novas alternativas, pode mirar o recuo se isso for mais coerente com determinada situação, como quando necessitamos ativar nossa função de preservação. Trata-se, a meu ver, de construto mais multidimensional, pois abarca a capacidade de apreciação multifacetada de uma conjuntura nova, no intento de obter sentidos e posicionamentos inusitados, um grau um tanto maior de liberdade. Para tanto, faz uso de nossas aptidões tanto dionisíacas como apolíneas.

Pessoa também tem algo a dizer da espontaneidade apresentada pela atriz que incorporou Ana. O heterônimo ou os personagens que criamos nas dramatizações nos dão maior liberdade de expressão, uma vez que são "outros" que não propriamente nós mesmos, mas, ao mesmo tempo, revelam nossas diferentes faces. Traduzem não uma identidade conhecida e articulada em formato sabido, mas intensidades que nos constituem e podem ser iluminadas. Nossa atriz revelou que, já no início do trabalho, diante das frases de Pessoa e Nietzsche que serviram de estímulo, chamara-lhe a atenção o dito pessoano "Viver é ser outro". E que, ao viver a personagem, saiu de alguns modelos. Pois é a interação entre o personagem gerado e outro que lhe seja externo ou interno que pode originar textos não usuais, com vitalidade singular, como ocorreu nesse caso de Ana. Segundo José Gil (2010, p. 60-1), filósofo e ensaísta português,

> a espontaneidade é o índice mais genuíno (menos enganador) da liberdade. [...] Toda a poesia de Pessoa visa a espontaneidade e a singularidade absolutas. [...] Cada heterônimo não é só um caso à parte, é também uma pura espontaneidade. [...] sobretudo Caeiro: parece não obedecer a nenhum cânone, a nenhuma convenção poética e a espontaneidade da sua voz não tem limites.

Caracterizando seus principais personagens-autores de maneira ímpar, com estilo, conteúdo e até biografia próprios, o poeta português garantiu a eles e a si mesmo maior liberdade para expressar pulsações espontâneas. Esse laboratório para a alteridade, provocado pela heteronímia e perseguido quando dirigimos uma dramatização, leva-nos não apenas a coexistir com nossos "comigos", mas a nos defrontar com nossos "contigos", parafraseando a já citada frase de Álvaro de Campos, "Eu que me aguente comigo e com os comigos de mim". Gerar um outro é experienciar ser outro num enredo desenvolvido em cenário diferenciado do qual costumamos estar. Novos roteiros construídos conjuntamente ampliam ângulos e capilarizam compreensões.

Pois foi isto que vivemos nas cenas com Ana: o vigor que emana da poesia de Pessoa, a vontade de potência e o estado Criança que nos sinaliza o pensamento nietzschiano em uma interlocução com o conceito moreniano de espontaneidade. É a potencialização dessa vivacidade de criação poética que acredito que podemos estimular nas pessoas e personagens com quem interagimos.

Potencialização essa que inevitavelmente me faz pensar nos momentos de vigor que nos permearam durante aquele final de semana, no tempo da experiência de que nos falou Proust, sempre inserido no tempo cronológico. Pois, nesse tempo do registro das intensidades, o passado da personagem Ana, alimentado pelas lembranças da atriz que as emprestou para compor a personagem, esteve simultâneo ao seu presente dos 19 anos, tendo ambos composto seu futuro 15 anos depois.

Um entrelaçamento temporal e de conteúdo que nos faz retomar a noção de eterno retorno. Vislumbrando no presente que poderia repetir pelo resto da vida uma função que lhe era conhecida, mas insuficiente, ousou almejar ser outra e o fez no futuro desejado. Na articulação entre esses tempos, conseguiu ter olhos críticos para a mensagem familiar que lhe fora incutida, "Tudo que se conquista na vida é com muito esforço e sofrimento", ressignificando-a. Livre da moral herdada, pôde escolher com mais liberdade e fluidez na escuta de seus anseios genuínos. A roupagem da jardineira deu lugar às vestes da paisagista.

A personagem Ana, como nas três histórias anteriores, foi escolhida pelo grupo para que o representasse. Diferenciou-se das demais, no entanto, por explicitar fluxos de forças inerentes ao coletivo em função do foco de pesquisa que se estabeleceu. Mas outra peculiaridade esteve presente nesse trabalho. O fato de termos feito uma imersão durante todo um final de semana, somado à confirmação da sinergia sobre a qual tínhamos dúvidas no início do primeiro dia, pode ter contribuído para que vivêssemos um último período pleno de intensidades e relevante para a quinta história que conto a seguir.

Uma das avaliações sobre o enredo que criamos ao redor de Ana foi a de que ele transcorreu com leveza e profundidade. Também mergulhamos fundo na história que produzimos a seguir, inicialmente capitaneada pelo personagem Igor. No entanto, o tema que ele simbolizava trazia, de modo incontornável, outra densidade.

Aquecemo-nos para o trabalho brincando com palavras que vinham aleatoriamente. Dessas, fomos escolhendo as mais significativas e compusemos algumas frases. A confluência final se deu na expressão "Acorda para a vida", título de um livro imaginário que nos propusemos a criar como mote para a dramatização. A partir daí surgiram nosso personagem e sua história.

Igor, 20 anos, está numa cadeira de rodas, tendo sido acometido por uma doença rara e progressiva. Aos 7 anos, começou a perder funções corporais. Primeiro o movimento das pernas, depois dos braços. Ficou com dificuldades na fala e na visão. Hoje, muito isolado, comunica-se com o mundo externo à sua casa apenas pelo computador.

Apesar desse quadro, sente desejo por mais. Percebe que não tem experimentado a intensidade que pode vivenciar. Pretende expandir seus horizontes e buscar novos sentidos, checando as barreiras impostas pela limitação física. Almeja sair do isolamento de seu quarto e conhecer pessoas, interagir noutros lugares, criar vínculos. Igor é a expressão da vontade de potência.

Depois de contar como foi seu processo até esse momento, peço que os integrantes da plateia reproduzam em voz alta "mensagens" trocadas imaginariamente pela internet com Igor. Diferentes assuntos são tratados, convites de encontro para conhecê-lo são feitos. Igor desperta interesse sobre como tem conseguido apegar-se aos finos fios de vida que ainda o atravessam.

Enquanto essa cena transcorre e Igor é interpretado por uma das participantes do grupo, me vejo andando de um lado para o outro da sala, tomado por forte emoção. Igor ecoa em mim Júlio, do capítulo "Os super-heróis", por estar vivendo exatamente nessas condições. Fico na dúvida se externalizo isso ou não, em qual momento e como. Então, algumas referências me atravessam e me norteiam. Nossa boa interação como grupo fora construída sobre bases nas quais o compartilhar de emoções se fez presente, proporcionando um clima propício para que eu também me manifestasse assim. Aliás, já nas apresentações iniciais, no primeiro dia, pudemos trocar algumas percepções e identificações que seriam os primeiros amálgamas em nossos vínculos.

Outro balizador sobre o qual me apoiei foi o técnico-teórico. Como coordenador dos trabalhos e, naquele momento, como diretor de cena, sei que sou parte do grupo. E que, numa proposta de construção coletiva, isso faz a diferença. Como mais um participante a oferecer o seu quinhão na rede que se tece, também tenho com o que contribuir, mesmo que num papel assimétrico ao deles. Ainda segundo esse último referencial, me salvaguardei na concepção de tema protagônico, o tema que aglutina as forças que permeiam o grupo naquele instante e oferece uma resultante, na maior parte das vezes, até então inconsciente. Pois me dei conta de que estávamos tratando da sensação de impotência de que muitas vezes somos acometidos no papel de cuidadores, por exemplo o de psicoterapeutas. Igor e Júlio eram nossos personagens protagônicos nesse tema.

Assim, alicerçado nessas bases de sustentação e vislumbrando um modo de agir subsidiado por essa última compreensão teórica, ao perceber que a cena com Igor já tinha oferecido sua colaboração peço que a participante que o encarnava volte para a plateia. Entro na cena, sentando-me na cadeira até então ocupada por Igor, e me apresento como Júlio.

Ao substituir o personagem por outro semelhante, mantenho o tema protagônico, mas Júlio pode enriquecê-lo com novos elementos. Isso porque Igor se colocava em cena já na fase de superação do conflito. O Júlio que eu trouxe, mesmo continuando a ser o mesmo guerreiro que o leitor conheceu páginas atrás, expunha suas dores – que eram nossas dores –, que estão entre nossos dilemas mais profundos. Sem que eu ainda o soubesse, precisávamos dar um passo atrás no encaminhamento da batalha, já um tanto superada por Igor, e olhar mais de frente aquela que é uma de nossas grandes feridas narcísicas e que Júlio poderia retratar.

Como o novo ator, fui me dando conta em cena de que iniciara esse final de semana um tanto angustiado com o último encontro entre mim e Júlio. Algumas semanas haviam se passado desde a sessão relatada no capítulo sobre ele. Num estado mais depressivo diante das adversidades que tem enfrentado, questionara-se sobre a relevância de estar vivo. Afinal, ninguém é super-herói. Mas nosso papel, no caso o de psicoterapeuta, é buscar saídas, mesmo que tênues, que possam nos sustentar, que façam que se "acorde para a vida". Como muitas vezes não conseguimos, a impotência também nos acompanha.

Pude compartilhar minha emoção como expressão desses limites com os quais deparamos, como Júlio e como Luiz, na transição do personagem para o diretor que se permitiu também a função de ator. Ali estava o tema protagônico, perpassando o individual, o grupal e o social, uma vez que os participantes atuam como cuidadores e são uma amostra do que todos nesse papel, nalgum momento de sua trajetória, já sentiram ou sentirão. Sim, ninguém é mesmo super-herói.

Além disso, ainda dentro do tema em sua representação social, durante todo o final de semana esteve presente a impotência diante do momento em que o país parece ter regredido a valores medievais.

Após meu compartilhar como Luiz, as portas se abriram para que outras pessoas nos contassem como o assunto lhes reverberava. Uma delas relatou que naquela semana um cliente adolescente tentara se matar. Outra disse que, antes de vir para o grupo, sua funcionária doméstica, mesmo sendo domingo, enviara-lhe uma mensagem perguntando se precisaria dela. Ao perceber que a funcionária necessitava sair de casa, concordou que viesse. Quando ela chegou, descreveu estar sem saída, pois o irmão havia tentado o suicídio. Outros casos em que a solidão que enfraquece dava o tom se apresentaram.

Aos poucos, depois de entrar em contato com esses conteúdos difíceis, começamos a conversar sobre os desafios com que deparamos, sobre a importância de nos reunirmos em grupos como aquele, para trocar nossas angústias, mas também sobre como, até pelo fato de nos percebermos em nossas limitações, identificamos nossas potências. Inclusive, o adolescente do atendimento relatado já havia caminhado muito desde o início da terapia, mesmo com esse episódio triste, e a funcionária, na sua impotência, foi buscar apoio.

Não temos controle sobre a vida ou a morte do outro. Mas podemos oferecer ajuda e, do mesmo modo, precisamos de nossas parcerias. Faz-se necessário alimentarmos nossa vontade de potência. Era isso que Igor nos dizia e, agora sim, podíamos retornar a ele como fonte. A pessoa que o encarnara nos conta que, ao fazer isso, foi tomada por sentimento intenso, vibrante: "[...] tinha um coração que pulsava tão forte e uma cabeça que não parava de funcionar, sempre achando soluções [...]. Ao invés de um não, sempre um sim". Saber onde está a morte não é o único mapeamento que se busca; ele também nos aponta o desejo de pulsação da vida.

Para finalizar, ainda um ingrediente desse encontro se destaca. Entre os três livros imaginados pelo grupo no início do trabalho, além daquele intitulado *Acorda para a vida*, que originara o personagem Igor, havia outro que contaria a história de Nelson

Mandela na prisão. Na noite anterior ao último dia de trabalho com esse grupo, durante o jantar, minha companheira contou um episódio retratado no filme *Invictus* em que Mandela, recém-saído da prisão e tendo ganhado a eleição para presidente na África do Sul, depara com uma manchete de jornal que diz algo do tipo "Eleito: e agora, o que vai fazer?" Reagindo à indignação de seus seguranças por essa cobrança tão precoce, uma vez que o pleito terminara havia apenas alguns dias, Mandela posiciona-se de forma compreensiva diante da exigência, lembrando que o mais comum é que pouco seja feito quando se chega ao poder. A população estaria acostumada ao não cumprimento das promessas de campanha. O desafio seria realizá-las e, desse modo, contribuir para desfazer tal imagem dos governantes.

Além de mais uma vez nos referirmos a um episódio que pode transcender sua localização, tornando-se parte da ordem da coincidência e podendo ser identificado como manifestação do coinconsciente, notamos que o assunto "vontade de potência" retratado no título *Acorda para a vida* já estava presente desde o início. Mandela poderia ter sucumbido na prisão. Sua história é conhecida. Além de ter aproveitado o tempo precioso que passou lá dentro para se instruir e se preparar, ao sair assumiu difícil missão na tentativa de unificar o país. Uma vez eleito, poderia ficar preso de novo, agora simbolicamente, à cadeira da acomodação onde muitos políticos e seus familiares se refestelam.

A doença, a cadeira, o cargo, a prisão, a ferida narcísica, a morte. O desejo que alimenta o movimento, seja ele qual for, o amor pela vida. São escolhas que, por mais difíceis que sejam, podemos fazer. É nesse veio que a vontade de potência corre, visando alimentar o "para além do homem" de que falava Nietzsche.

17. Personagens ameaçadores

"Eu e um amigo estamos numa base militar como visitantes; à nossa frente, uma cena da qual somos meros observadores: em uma grande área aberta há uma porta acima do solo que não pertence a um prédio, mas sim ao início de uma escadaria subterrânea em espiral metálica da qual apenas os primeiros degraus são visíveis, abaixo tudo é escuro; um militar de alta patente com um equipamento nuclear nas costas, como uma mochila, do qual sai uma mangueira que é um lança-chamas, em punho; atrás dele, dois militares de patente mais baixa comandados pelo primeiro, com metralhadoras, todos apontando para a porta de onde gritos horríveis são ouvidos, com uma grande força maligna não humana; o militar da frente dispara seu lança-chamas, o que a repele um pouco; porém, com a fúria intensificada por ser atacada, a criatura pela primeira vez atravessa a porta e só então é possível vê-la; de proporções corporais como as de um humano e bípede, não é algo deste mundo, uma pele rósea sem pelos, translúcida, veem-se vasos e nervos sob ela, parece algo como um lagarto, um anfíbio; não fala, mas emite urros agudos horríveis; no primeiro contato físico entre a criatura e os militares que tentam detê-la, ela agarra o braço do primeiro militar, buscando puxá-lo para dentro, quando então é possível ver sua pata; a situação está saindo do controle, o militar rapidamente retira o pesado equipamento nuclear de suas costas e o lança para ser acionado sobre a criatura, empurrando-a porta adentro e fazendo-a cair alguns degraus; uma grande explosão ocorre lá dentro e não se vê mais nada; assumimos que essa última ação do combatente por fim eliminou a ameaça, nos viramos e começamos a caminhar decididos a sair da base em direção ao portão aberto protegido por um guarda armado em prontidão; por um momento ficamos tensos com um pensamento: 'talvez não nos permitam deixar a base depois do que presenciamos, pois não deveria ter sido visto'; mesmo assim, continuamos a caminhar e cumprimentamos o guarda a distância; mudo e sério, ele responde ao cumprimento, e é quando nos damos conta de que nossa saída não será impedida, somos visitantes bem-vindos, confiam em nós; atravessamos o portão, à nossa frente um deserto com algumas instalações distantes umas das outras; caminhando, observamos outra cena, um grande avião a baixa altitude cortando os céus; o objetivo dele é causar algum grande mal, dois terroristas em solo observam a aeronave e não parecem se importar com a nossa presença, nem mesmo notá-la; ficamos tensos: esse avião não será detido? o ato terrorista terá êxito?; do solo do deserto, uma porta se abre e um míssil nuclear é disparado em direção ao avião, o que nos traz alívio; ouvimos uma discussão entre os dois terroristas, um claramente subordinado ao outro; o 'chefe' grita 'você não disse que esse percurso no deserto era seguro???', o outro, espantado, responde 'sim, é seguro', 'então o que é aquele míssil nuclear??', grita o chefe enfurecido; nesse momento, perto da porta de onde o míssil foi lançado, surgem dois outros terroristas armados com metralhadoras e disparam em direção ao míssil como uma bateria antiaérea; havíamos pensado que o avião seria abatido e que tudo acabaria bem; para nossa surpresa, o míssil não é destruído pelos disparos, mas muda o curso, perde altitude e começa a cair; ficamos tensos, a única chance de deter a ameaça foi perdida, o avião segue seu curso subindo de altitude; ao cair no solo, o míssil nuclear poderá causar uma explosão próxima de nós; seremos contaminados com radiação?; para nosso alívio, ao atingir o solo o míssil apenas levanta uma enorme nuvem de poeira do deserto, nenhuma explosão; quanto à ameaça que o avião representa nada podemos fazer, pois somos apenas espectadores; meu amigo parece tenso, como a me pedir para ir embora antes que os terroristas notem nossa presença; viramo-nos e continuamos a caminhar pelo deserto, avistamos um complexo com alguns prédios e vamos nessa direção, estamos explorando; entramos no complexo, que parece vazio, e vemos uma porta no fim de um corredor com várias pessoas entrando e saindo; há algo a ser visto ali, e vamos em direção à porta, vemos que há uma fila para entrar na sala; entramos na fila, eu à frente e meu amigo atrás: ainda não é possível ver dentro da sala, a fila caminha e, quando há somente duas ou três pessoas à minha frente, vejo que a sala está vazia, há apenas uma mulher sentada, a fila vai até ela fazendo uma curva em 'U'; em cada pessoa que se aproxima ela coloca um selo sobre a pele da testa, entre os dois olhos; as pessoas entram com naturalidade e ao sair estão como autômatos, os olhos bem abertos, fixos, não piscam, os braços rígidos para baixo, caminhando mecanicamente para a saída; percebemos o perigo da situação, todos os que estão na fila serão transformados; meu amigo fica tenso olhando pra mim, como a dizer 'o que fazer, como escapamos disso?'; avalio a situação, a fila anda rápido, resta pouco tempo, nossa vez está chegando, mas não podemos passar por essa transformação de forma nenhuma, é irreversível; meu amigo entende minhas intenções e corremos; na porta da sala, somos detidos por dois guardas que nos arrastam pelo corredor; sou jogado dentro de uma sala ampla e vazia, não vejo o que ocorreu com meu amigo; depois de algum tempo, uma mulher vem e abre a porta; ao sair, além dela, vejo meu amigo, que estava detido em sala idêntica em frente à minha, agora também com a porta aberta; a mulher, sozinha, de estatura menor que a nossa, fica à nossa frente, conduzindo-nos pelo corredor, e avistamos lá na frente a fila; algo tem que ser feito e rápido; avalio a situação, a mulher está sozinha desarmada à nossa frente, portanto não nos vê; agarro-a e jogo-a contra a parede do corredor, o que a deixa momentaneamente tonta e sem ação; uma medida mais forte precisa ser tomada, bato sua cabeça contra a parede repetidas vezes até matá-la, agora sim temos chance de escapar dali; saio correndo pelo corredor em direção oposta à sala com a fila, meu amigo me segue muito assustado, mas também aliviado; acordo, o pesadelo acabou."

Um trecho como esse, caro leitor, causa estranheza. Escrito nos moldes de Saramago, é uma tentativa de reproduzir o livre fluxo que transcorre nos sonhos, um jorro de ações e imagens comumente precedidas por alguma expressão do tipo "tive um sonho esquisito". Mas essa é a linguagem do inconsciente, não racional, pouco ou quase nada linear, um encadeamento de associações livres, como vimos no início do livro, sobrepondo memórias, sensações, percepções, sentimentos. Rico material para pesquisarmos e mapearmos, com o sonhador, os fluxos que o atravessam e dizem muito sobre ele.

Esse aparente acaso indiferenciado não resiste enquanto tal a um espectador mais atento. Assistindo a esse filme junto com quem o produziu espontaneamente, lançamos mão dos recursos que temos para esmiuçá-lo sob diversos ângulos. Buscamos variadas portas de acesso, cada uma oferecendo compreensões que podem se articular com outras. As pistas vão esquentando ou não de acordo com as respostas emanadas pelo criador do roteiro. Quando nossa leitura faz sentido para ele, continuamos nessa trilha. Podemo-nos nos deter sobre determinada cena e relacioná-la com um tema frequente nas sessões. Podemos perceber um personagem como representante de determinada época da vida de quem o sonha. Um cenário como uma rua ampla por onde se caminha sem medo com alguém singular pode expressar o desejo de mais liberdade, como identificado no capítulo *Outros tons de cinza*. As possibilidades são inúmeras, assim como é infinita nossa capacidade de imaginar, criar símbolos e figuras capazes de expressar os fluxos todos que nos habitam.

Dessa forma, como decorrência natural do fato de que uma representação criada por mim terá significado diverso daquele presente na mesma configuração produzida por outra pessoa, cai por terra a afirmação de que "sonhar com tal coisa significa isso..." Nossas histórias peculiares dão conotações distintas a uma mesma figura sonhada por pessoas diferentes. Por exemplo, na minha trajetória de vida, determinado animal pode carregar significados opostos àqueles presentes no mesmo ser emanado de outro sonhador.

Por outro lado, há que considerar que algumas imagens são fruto de criação coletiva, cultural ou antropológica mais emblemática que outras e que, por isso mesmo, podem ser compreendidas como símbolos universais. O já clássico símbolo fálico está entre eles. O processo histórico se inscreve nos sujeitos e pode aparecer, também, em sonhos. Daí que, dentro desse panorama, cabe ao nosso personagem pesquisador consultar quem sonhou para saber que leitura do sonho produzido lhe faz mais sentido naquele momento do processo: se a obra produzida inconscientemente reluz pelas cores da singularidade, da generalidade ou do intercâmbio entre ambas.

É Tiago quem faz o relato desse sonho numa de nossas sessões de psicoterapia. Por estarmos juntos há bons anos e já termos decifrado, ao menos em parte, diversos outros sonhos, ele adquiriu traquejo e às vezes, ao narrá-los, oferece compreensões próprias.

Aqui aproveito para discorrer rapidamente sobre o desenvolvimento dessa capacidade como uma das funções – a meu ver, de extrema importância – que cabem ao processo psicoterapêutico: instrumentalizar as pessoas com recursos que as ajudem a se perceber melhor, facilitando sua abertura para os encaminhamentos necessários perante os conflitos com os quais deparam. Trata-se de municiamento para transitar pela vida. Depois de certo tempo, aquele que se serve do trabalho terapêutico aprende a observar melhor a si mesmo e ao seu entorno. Ao mesmo tempo, conhecendo mais de si, consegue se posicionar com mais desenvoltura.

Essa simultaneidade entre a incorporação de processos e sua utilização como recursos para a vida cotidiana é uma manifestação da intersecção entre duas áreas irmãs, a saber, a educação e a psicologia. Nesse sentido, o terapeuta não deixa de ser um educador que colabora – labora conjuntamente – para uma espécie de aprendizagem destinada a um melhor viver.

Mas voltemos ao sonho de Tiago. No dia que o antecedeu, fora-lhe pedido que trabalhasse no final de semana, o que o deixou indignado, com raiva. Telefonou imediatamente a quem o solicitara, expressando seu inconformismo. Tais sensações e ações, muito provavelmente, cumpriram um papel como as impressões sensoriais mais recentes a ser expressas nos sonhos por meio da luta contra o monstro do outro lado da porta, contra os terroristas, bem como contra a automação, a robotização programada na fila por aquela espécie de *chip* colado na testa. Memória atual mapeada em sua contribuição ao onírico, partimos para outras possibilidades de compreendê-lo.

Em nossa sessão anterior, havíamos identificado quanto sua queixa por estar desmotivado dizia respeito ao processo de luto pela morte de sua cachorra, querida companheira durante 15 anos, desde que ele a resgatara da rua, ferida. Trancafiar suas emoções foi uma forma de retardar ou até mesmo interromper esse processo dolorido. Conversamos sobre a necessidade de entrar em contato com essa perda, por mais difícil que fosse. Apesar de termos visitado esse assunto algumas vezes, parece que não fora suficiente. Sugeri que, durante a semana, escrevesse uma carta à sua antiga parceira, quase filha. Finalizamos a sessão com Tiago bastante mobilizado, e ele agora conta que aquelas emoções ficaram ressoando por alguns dias. Devido a essa dificuldade de encarar o luto, o monstro guardado que ameaça romper a porta ainda precisa retornar às profundezas. Os terroristas, como sentimentos invasores, devem ser derrotados.

Em perspectiva complementar, o amigo que o acompanhava no sonho pode também representar sua cachorra, expressando as longas batalhas nas quais se lançaram nos meses finais de vida dela, quando estava acometida por doenças.

Controlar militarmente as emoções, transitar por ambientes plenamente seguros: não são guerras novas para Tiago. Tendo isso em vista, não foi difícil associar os sonhos a episódios pregressos e bastante significativos. Tiago iniciara a terapia numa época em que afirmava o desejo de se isolar. Era muito difícil para ele se relacionar com as pessoas: "As máquinas são mais previsíveis". Filho de mãe esquizofrênica e pai violento, crescera em um lar perturbado por brigas e persecutoriedades. Os estudos seriam sua única fonte de autonomia, segundo o alertara enfaticamente a irmã mais velha, que cedo saíra de casa. Essa sinalização somou-se à sua natural curiosidade pelos mecanismos das máquinas e o fez dedicar-se a elas quase como único interesse, além dos animais, que também não oferecem os riscos que o relacionamento com humanos suscita. Esses, melhor observá-los como mero espectador de suas cenas, como nos dizem seus sonhos.

O medo de se relacionar, associado à sua quase única fonte de interesse, fez que não desenvolvesse outras habilidades, as físicas, por exemplo, numa idade em que a inserção nos grupos depende bastante delas. Em consequência, nosso protagonista, rotulado como *nerd*, passou a sofrer a conhecida discriminação. Assim, a experiência familiar se reiterava no convívio social. Como se observa no sonho, é preciso saber "avaliar a situação" e "ir embora antes que os terroristas notem nossa presença".

No entanto, no começo de nosso trabalho, quando Tiago estava na casa dos 20 e poucos anos de idade, por mais que afirmasse que era necessário manter seus muros erguidos, viera buscar ajuda. Existia ali um tênue desejo de transformação, e eu me agarrara a ele. Hoje, perto dos 40, trilhamos bons caminhos. O cliente não tem vida social intensa nem assim o deseja. Mas viveu um relacionamento afetivo, relaciona-se muito melhor no seu ambiente de trabalho, a ponto de ter feito algumas amizades, e frequenta constantemente um grupo de interesse comum.

Noutra perspectiva bastante razoável de interpretação, o personagem que o acompanha em boa parte do sonho, segundo o próprio Tiago, seria ele mesmo numa fase mais antiga. Antes, passivo; agora, propositivo. Essa sua constatação é mais um momento representativo do aprendizado de decifrar enigmas sonhados. Seja sua cachorra, seja ele mesmo, trata-se de uma relação constituída por bastante sinergia, a ponto de, nas situações emergenciais, nas quais não há tempo nem possibilidade de verbalizar, "meu amigo entende minhas intenções".

Nesses anos, Tiago também colecionou novas dores. Tendo vivido na infância acometido por sintomas de ansiedade e depressão, na fase adulta desenvolveu um quadro de transtorno afetivo bipolar, o que demandou tratamento psiquiátrico. Muitas de nossas sessões se dedicaram aos delírios que o invadiam. A medicação foi fundamental para que pudéssemos aterrar um tanto dos seus horrores. Num dos episódios de hipomania que precediam as crises de depressão, apaixonara-se e não fora correspondido. Daí que, mais uma vez, defendera-se tentando controlar suas emoções.

Reprimir as sensações e os sentimentos que nos atravessam e nos constituem, mesmo que seja para nos proteger, sempre cobra seu preço. Esse é um conflito central na vida de Tiago. Deixar os desejos se apossarem de si traz o risco de estimular demasiadamente um corpo suscetível a descontroles, o que desorganiza a vida de uma pessoa – principalmente, como é o caso, daquelas que dependem só de si. Por escolha consciente, Tiago prefere não se envolver além de certo ponto, seja nas amizades, seja nas relações amorosas.

O preço? Atualmente, a queixa de uma vida monótona. Em outros tempos, essa equação estava mais equilibrada. Uma atividade de lazer que mantinha e o estimulava era prova disso. Os sonhos relatados? Expressões desse dilema: é preciso conter e controlar os monstros das sensações e sentimentos. São ameaças atômicas que podem causar a perda de si mesmo. Ao mesmo tempo, continua existindo o desejo da não automação.

Ao fim da sessão, Tiago conta que uma imagem o acompanhou ao longo da semana: era como se tivesse uma placa de ferro colada em seu peito, dificultando sua respiração. Por outro lado, uma frase de um documentário a que assistira no final de semana o sensibilizara, emoção que revive enquanto me conta: "O amanhã precisa de você". Isso o remete à época em que pensara em suicídio e o faz ver quanto teria deixado de desfrutar das emoções como a que está sentindo agora.

Não se trata apenas de um relato exclusivo de Tiago, mas de um impasse humano, demasiado humano: vida e morte que a todo tempo se entrelaçam. E o que significam os sonhos, quando se dorme? Dilemas os mais íntimos, como esse, projetados numa tela.

18. Baixando as cortinas

Caro leitor, ainda tenho a lhe contar que algumas das histórias presentes neste livro provocaram reações semelhantes naqueles que considero que as escreveram comigo, meus coautores. A alguns deles tive oportunidade de mostrá-las antecipadamente, para que dessem seu aval ao conteúdo a ser exposto.

Embora as temáticas já tenham sido abordadas não só em uma, mas em algumas sessões, vê-las escritas e registradas na forma de enredo permitiu-lhes reencontrar lados de si, personagens, quase como se ainda não tivessem tomado conhecimento deles. Entre aqueles com quem não trabalho mais, os comentários foram de que "é como se houvesse repassado um filme na minha cabeça"; entre aqueles com quem ainda partilho encontros, o reconhecimento foi mais evidente em alguns recantos. A história em texto potencializou determinadas autopercepções.

Esse fato aguça meu personagem pesquisador e me faz retomar a reflexão sobre a escrita como recurso a ser mais bem explorado em sua função terapêutica. Drummond (2012) já havia comentado sobre isso, mais especificamente se referindo ao campo da escrita poética:

> De fato, a poesia exerceu sobre mim um papel bastante salubre ou tonificante, procurando, sem que eu percebesse, clarear os aspectos sombrios da minha mente. [...] Então comecei a fazer versos sem saber fazê-los, por um movimento automático. Foi uma tendência natural do espírito e senti que, pouco a pouco, ia aliviando a carga de problemas que eu tinha. Como se vomitasse. Nesse sentido, a poesia foi, para mim, um divã.

Essa experiência catártica que leva a "clarear os aspectos sombrios da mente", experimentada ao se expressar pela poesia, foi também relatada como muito significativa por Pessoa (Contro, 2018b). A produção literária é uma forma potente de conhecer não só nossas sombras mas também nossas luzes, uma vez que as expressa e, ao fazê-lo, cria melhores condições para lidarmos com elas. Além disso, por termos a pele um tanto em carne viva quando estamos envolvidos e sensibilizados com algo, faz que essas escritas sejam expressões um tanto mais significativas, representativas e, por isso mesmo, belas.

Meus coautores se viram projetados na criação. Nós nos produzimos na obra, mas somos também por ela produzidos: "Poder-se-á dizer que, letra a letra, livro a livro, tenho vindo a implantar no homem que fui as personagens que criei" (Saramago, 2010). Pois também me vejo configurado nestas páginas. O aqui contado me revela numa escrita que se aproxima da literária, aquela na qual tenho acreditado ser capaz de iluminar nossos muitos seres. Do lugar de uma plateia de mim mesmo, ao escrever me vejo e me revejo.

Seja nas tramas de nossa vida diária, seja nos recintos onde histórias como essas se dão, podemos escrevê-las como romance de formação, pois é possível nos tomarmos como sempre inacabados e passíveis de mudança. Que o façamos não somente quando a dor nos bate à porta, mas em nome de uma vida que se pretende vigorosa. No entanto, nas cercanias onde enredos como esses acontecem – escolas, instituições, consultórios de psicoterapia –, a canalização dos fluxos que nos atravessam pode se dar de maneira mais instrumentalizada. Como vimos, a viabilização do tempo simultâneo entre passados e futuros num presente nos permite respirar com mais pausas e senso crítico diante dos movimentos apressados e ansiosos que o tempo cronológico da contemporaneidade nos incute.

A arte em geral, como veículo de nossas emoções e reflexões, tão cara ao poeta, ao filósofo e a outros que aqui nos acompanharam, tem capacidade de ser terapêutica. Haja vista as propostas todas abraçadas pela denominação "arteterapia", inseridas principalmente no universo da dita "saúde mental", dentre as quais se destaca o pioneirismo de Nise da Silveira – que, no Brasil dos anos 1940, ao incentivar os internos de um manicômio a produzir pinturas e esculturas, estimulou-os a se constituir como sujeitos.

A arte e o trabalho terapêutico, portanto, são terrenos que possuem imbricações profundas. Não poderia ser diferente. Desde o tempo das cavernas, o ser humano busca formas para se expressar e se representar no que tem de mais íntimo e, por vezes, desconhecido de si mesmo. Aqui também, como vimos, fortemente encontramos Nietzsche e Pessoa. Consideraram a arte como instrumento para a constante reinvenção da vida. Sendo complexa, "a vida é amiga da arte" (Caetano Veloso, na canção "Força estranha"), pois a arte é capaz de expressar e renovar as multifaces que a vida tem. Talvez de recriá-la, ao provocar ângulos inusitados, estimulando a vontade de potência, promovendo encontros, causando epifanias reveladoras, instantes de êxtase dionisíacos, checando pretensas verdades, rompendo prisões, alardeando opressões, estimulando reflexões críticas para além das tentativas de se instalar o repetitivo que adoece. Por isso mesmo, a finalidade estética da vida é que vai constituir o ideal da filosofia nietzschiana, tanto quanto vai dar sentido à obra literária de Pessoa. A arte e o terapêutico – este em seu sentido mais amplo, que de alguma maneira dela se utiliza – permitem que se prove o tempo da intensidade. Um tempo outro para além do tempo cotidiano onde moram determinadas normas enclausurantes, roupas herdadas, hábitos involuntariamente repetidos. Como que suspendendo sua sucessão, na vivência do tempo da experiência, podemos renovar.

Foi um tanto disso que pretendi compartilhar com o leitor. Numa tentativa de inteireza e com vontade de potência, desejei que essas cenas e suas vibrações extrapolassem sua geografia de origem e contaminassem outros corpos ávidos de entusiasmo.

Incontáveis são os personagens a quem poderíamos aludir como representantes de temas que emergem quando trabalhamos com pessoas. A diversidade humana ocasiona multifacetadas vias de interação, tendendo ao infinito as dinâmicas que são geradas, os embates entre as forças que eclodem, os processos de institucionalização de verdades que nos desafiam a cartografar e a transformar, quando não destituir, sua rigidez, seu autoritarismo.

Outras tessituras poderiam dar voz a fadas, a fantasmas, a outros monstros. A casais e seus desencontros. Dar vez aos anti-heróis. Aos lutos e a suas dores. Às redescobertas e aos reencontros. Ao ridículo de nós mesmos. A outros futuros que se projetam. A outros passados que pedem para ser revisitados. A novos presentes que anseiam por pulsação. Histórias terapêuticas.

Mas isso são outras histórias.

Referências

Calvente, C. F. *O personagem na psicoterapia: articulações psicodramáticas.* São Paulo: Ágora, 2002.

Chaui, M. *Repressão sexual: essa nossa (des)conhecida.* São Paulo: Brasiliense, 1984.

Colli, G. *Dopo Nietzsche.* 6. ed. Milão: Adelphi, 2008.

Contro, L. *Nos jardins do psicodrama: entre o individual e o coletivo contemporâneo.* Campinas: Alínea, 2004.

______. "Solilóquios do diretor: intervenção em um grande grupo". *Revista Brasileira de Psicodrama*, v. 14, n. 1, 2006.

______. "Conversas de um psicodramatista com Nietzsche". *Revista Brasileira de Psicodrama*, v. 26, n. 2, 2018a.

______. "O psicodrama e o equilibrista – Diálogos com a obra de Pessoa". *Psicodrama: Revista da Sociedade Portuguesa de Psicodrama*, n. 9, nov. 2018b.

______. "O psicodrama e a política de institucionalização de verdades". In: Merengué, D.; Dedomenico, A. (orgs.) *Por uma vida espontânea e criadora: psicodrama e política.* São Paulo: Ágora, 2020.

De Masi, D. *O ócio criativo.* Rio de Janeiro: Sextante, 2012.

Drummond de Andrade, C. Entrevista a Maria Lúcia do Pazo. *Folha de S.Paulo*, São Paulo, 8 jul. 2012, Ilustríssima. Disponível em: <https://www1.folha.uol.com.br/fsp/ilustrissima/53086-a-voz-do-poeta.shtml>; acesso em out. 2019.

Falivene, L. "O protagonista: conceito e articulações na teoria e na prática". *Revista Brasileira de Psicodrama*, v. 2, n. 1, 1994.

Fox, J. *O essencial de Moreno: textos sobre psicodrama, terapia de grupo e espontaneidade.* São Paulo: Ágora, 2002.

Giacoia Jr., O. *Nietzsche como psicólogo.* São Leopoldo: Ed. Unisinos, 2001.

______. "Única é a condição do homem na linguagem". In: Ryan, B.; Faustino, M.; Cardiello, A. (orgs.) *Nietzsche e Pessoa.* Lisboa: Tinta da China, 2016.

Gil, J. “Devir-Pessoa”. *Cadernos de subjetividade*, São Paulo, n. 12, 2010. Disponível em: <http://revistas.pucsp.br/cadernossubjetividade/article/view/38444/0>; acesso em out. 2019.

Leminski, P. *Distraídos venceremos*. São Paulo: Brasiliense, 1987.

Moreno, J. L. *Psicodrama*. 9. ed. São Paulo: Cultrix, 1993.

Nietzsche, F. *Além do bem e do mal*. São Paulo: Martin Claret, 2004.

______. *Humano, demasiado humano: um livro para espíritos livres*. 12. reimp. São Paulo: Companhia das Letras, 2005.

______. *O nascimento da tragédia, ou Helenismo e pessimismo*. São Paulo: Companhia das Letras, 2007.

______. *Genealogia da moral: uma polêmica*. São Paulo: Companhia das Letras, 2009.

______. *A gaia ciência*. São Paulo: Companhia das Letras, 2012.

______. *Assim falava Zaratustra: um livro para todos e para ninguém*. 3. ed. Petrópolis: Vozes, 2014.

______. *Ecce homo ou como alguém se torna o que é*. São Paulo: Martin Claret, 2015.

______. *Crepúsculo dos ídolos, ou como se filosofa com o martelo*. São Paulo: Companhia de Bolso, 2017.

Pessoa, F. *Ficções do interlúdio, 1: poemas completos de Alberto Caeiro*. Rio de Janeiro: Aguilar, 1975.

______. *Palavras do Livro do Desassossego*. Org. Libório Manuel Silva. 4. ed. Famalicão: Centro Atlântico, 2018.

Ribeiro, N. *Fernando Pessoa e Nietzsche: o pensamento da pluralidade*. Lisboa: Verbo, 2011.

Rosa, G. *Tutameia: terceiras estórias*. São Paulo: José Olympio, 1967.

______. *Primeiras estórias*. 15. ed. Rio de Janeiro: Nova Fronteira, 2001.

Ryan, B., Faustino, M.; Cardiello, A. (orgs.). *Nietzsche e Pessoa*. Lisboa: Tinta da China, 2016.

Saramago, J. “Morre Saramago, único Nobel da língua portuguesa”. *Folha de S.Paulo*, São Paulo, 19 jun. 2010, Caderno Especial. Disponível em: <https://www1.folha.uol.com.br/fsp/especial/inde19062010.htm>; acesso em out. 2010.

Soeiro, A. C. *O instinto de plateia na sociedade do espetáculo*. Brasília: Círculo de Giz, 2003.

Stanislavski, C. *A preparação do ator*. Rio de Janeiro: Civilização Brasileira, 1989.

Grupo Summus
www.gruposummus.com.br
www.gruposummus.com.br
Acesse, conheça o nosso catálogo e cadastre-se para receber informações sobre os lançamentos.

www.gruposummus.com.br

IMPRESSO NA
GRÁFICA
sumago
sumago gráfica editorial ltda
rua itauna, 789 vila maria
02111-031 são paulo sp
tel e fax 11 2955 5636
sumago@sumago.com.br